新・し・い

高校教科書に学ぶ

大人の教養

公共。

いまどきの
高校生は知っている。
社会との関わり方
課題解決！
持続可能な社会
主体となる私たち

神坪浩喜　著

秀和システム

はじめに

2022年度より高等学校の新学習指導要領が実施され、社会公民科では、従来の「現代社会」にかわる新科目「公共」がスタートしました。新科目「公共」では、これから社会に出ようとする高校生が、主体的に社会に参画し、様々な現代社会の問題と向き合い、他者と対話しながら問題を解決する力を学びます。

私が高校生のころ、高校社会科で学ぶ最初の科目は「現代社会」でした。残念ながら、どこか言葉を暗記するだけのつまらない科目という印象でした。先生が板書しているのを書き写し、テストは穴埋め問題が中心で、テスト前に暗記して、テストが終われば忘れてしまうような、何を学んだかよく覚えていない科目でした。社会人になって、役に立ったのかもわかりません。

ところが、新科目「公共」の教科書を見て、驚きました。やたらと問いかけが多いのです。あなたならどう考える？あなたならどうする？例えばこんな問いかけが出てきます。

> 「もし一人の健康な人から、複数の臓器を取りだして移植することで、多数の命が救えるとすれば、そうするのが正しいといえるか。全ての人に通し番号が振られ、コンピュータがランダムに臓器提供者を1人選び、手術によって臓器を取りだして複数の人に提供する。このような臓器提供者一人の死によって複数の人が助かるようなしくみを、あなたは支持するか。」（「臓器くじ」東京書籍刊『公共』より引用）

そして、実際の社会問題について、図や表のデータをもとに、何が問題になっているかを問いかけてきます。地域の身近な問題から、国の問題、さらには地球環境問題、国際平和等の問題といったグローバルな問題も問いかけてきます。いずれも正解のない問いです。そして、そのような問いに対して、自分なりの意見とその理由を表現することを求められています。

もちろん知識は必要です。教科書で黒字になっている言葉は覚える必要があるのでしょう。しかし、その知識も単なる知識ではなく、諸課題に向き合うためのものであり、「使いこなしてこそ」という知識なのです。多くの「知っているだけの知識」よりも、少なくても実際の社会で活用できる知識をより深く理

解することが求められています。覚えること、暗記することよりも自らの頭で考えること、表現することが求められています。

　そして、実践的です。2016 年から 18 歳以上に選挙権が認められ、2022 年 4 月からは、18 歳から成年として扱われることになりました。主権者として社会や政治の問題に関心をもち、自ら考えて判断できるための前提知識や、また契約主体、働く主体として社会に出る前に知っておきたい実践的な知識も学びます。

　「公共」は、これから社会に出る高校生に向けて、社会における「生き方」を学ぶ実践的教科です。社会に出て実際に役に立つ学びを意識しています。「公共」では、自分を見つめ、他者・社会とどのようにかかわっていくのか、法、政治、経済、倫理の観点から学びます。現実の諸課題に直面したとき、他者と対話し、協働しながら、自らの頭で考え、問題を解決する能力を育みます。現代社会のしくみや諸課題を知るだけではなく、知った上で、どのように取り組むのか、幸福、公正、効率といった人間と社会の在り方についての「見方・考え方」を習得して、課題解決に取り組む技術と能力をトレーニングしていきます。

　これは、高校生だけではなく、すでに社会で揉まれている大人の私たちにも役立ちそうです。このような社会で生きる上で役に立つ学びを高校生だけのものにしておくのは、もったいない。

　さあ、「公共」の海へ、一緒に漕ぎ出していきましょう！

2023 年 3 月　神坪浩喜

● 本書の使い方 ●

特徴1　概要が簡潔にわかる!

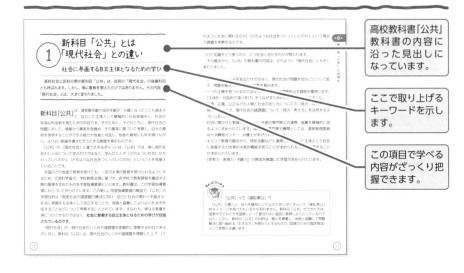

高校教科書「公共」教科書の内容に沿った見出しになっています。

ここで取り上げるキーワードを示します。

この項目で学べる内容がざっくり把握できます。

特徴2　図解やイラストでラクラク理解

文章での解説と、図版や地図でわかりやすくまとめています。眺めるだけでも、面白い!

わかりやすい図版!

特徴3　理解が深まる記事が満載!

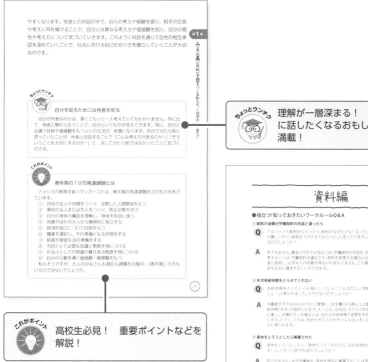

理解が一層深まる! いますぐ誰かに話したくなるおもしろトリビアが満載!

高校生必見! 重要ポイントなどを解説!

資料編
本文のあとに「資料編」がついています。本文の補足として収録しましたが、じっくり眺めるだけでも興味深い資料が満載です!

こんな人に読んでほしい!

学び直したい大人
これまでの現代社会という科目と公共はどこが違っているのか、今の時代に即すためにどう進化したかを、現役の高校生と同じように学べるようになっています。

先生
教育の現場で、どんなふうに教えたらいいのか悩んでいる先生方は多いようです。本書は、高校教科書「公共」に沿って、内容をコンパクトにまとめていますので、教えるポイントも一目瞭然です。

生徒
要点をコンパクトにまとめていますので、副読本としても使っていただけます。

新しい高校教科書に学ぶ大人の教養
公共

Contents

第0章　新科目「公共」とは何か

第1章　A【公共の扉】公共的な空間をつくる
私たち　〜社会の中の自己〜

第2章 公共的な空間における人間としての 在り方生き方 ～共に生きるための倫理～

第3章 公共的な空間における基本的原理

第4章 B【自立した主体としてよりよい社会の形成 に参画する私たち ～民主政治と私たち～】

第 8 章　C【持続可能な社会づくりの主体となる　私たち】

第  章

新科目「公共」とは何か

そもそも新科目「公共」とは何でしょうか。これまでの「現代社会」とどこが違うのでしょう。なぜ、新科目「公共」をつくる必要があったのでしょうか。いったい新科目「公共」は何を目指しているのでしょうか。

① 新科目「公共」とは？「現代社会」との違い

社会に参画する自立主体となるための学び

高校社会公民科分野の新科目「公共」は、従前の「現代社会」の後継科目とも呼ばれます。しかし、単に看板を替えただけではありません。その内容も、「現代社会」とは、大きく変わりました。

新科目「公共」は、選挙権年齢や成年年齢が18歳になったことも踏まえて、自立した主体として積極的に社会参画をし、社会の有為な形成者を育むための科目です。そのために、子どもたちに、現代社会の問題に対して、情報から事実を見極め、その事実に基づいて考察し、自分の意見を表明することができる能力や他者と対話し、他者の意見にも耳を傾けながら、より良い結論を導きだそうとする態度を育むものです。

「公共」が、「現代社会」と違う大きなポイントは、「公共」では、単に現代社会のしくみについて学ぶだけではなく、学んだことで「どのように社会にかかわっていくのか」、「どのような社会をつくっていくのか」ということを見据えていることです。

全国のどの地域で教育を受けても、一定の水準の教育を受けられるようにするため、文部科学省が、学校教育法等に基づき、各学校で教育課程を編成する際の基準を定めたものを学習指導要領といいます。教科書は、この学習指導要領にもとづいて作られています。この新しい学習指導要領の解説で、「公共」の学習目的は「現実社会の諸課題の解決に向け、自己と社会のかかわりを踏まえ、社会に参画する主体として自立することや、他者と協働してより良い社会を形成することなどについて考察する」とされています。すなわち、単なる教養を身につけさせるのではなく、**社会に参画する自立主体となるための学びが目指されているのです。**

「現代社会」が、現代社会のしくみや諸課題を客観的に理解する科目であるのに対し、新科目「公共」は、現代社会のしくみや諸課題を理解した上で、「ど

のように社会に関わるのか」「どのような社会をつくっていくのか」という視点で課題を考察するのです。

　そのため、「公共」では知識を覚えればすむというものではありません。身につけた知識をどう使うのか、どう社会に活かすのかが問われます。

　その観点から、「公共」の教科書の内容は、次のように「現代社会」と大きく変わりました。

・現代社会のしくみを知るだけではなく、現代社会の問題を自分ごととして捉え、問題を解決しようとする姿勢を育みます。
・一つの正解を見つけるのではなく、対話の上、納得解を出す過程を重視します。
・「主体的・対話的で深い学び」をうながすためのしかけが設けられました。
・幸福、正義、公正などの人間と社会の在り方についての「見方・考え方」を身につけた上で、現代社会の諸課題について「見方・考え方」を活用するようにしました。
・社会に開かれた教育の観点から、外部の専門家との連携・協働を積極的に図るように求められています。関係する専門家や機関としては、選挙管理委員会や消費者センター、弁護士があげられています。
・キャリア教育の観点から、特別活動などと連携し、自立した主体として社会に参画する力を育む中核的機能を担うことが求められることに留意することが求められています。
・「思考力・表現力・判断力」の育成を意識した学習が求められています。

ちょっとウンチク

「公共」って「滅私奉公」!?

　「公共」と聞くと、自らを犠牲にして公のために尽くすという「滅私奉公」的なイメージを持つ方もいるかも知れません。新科目「公共」ができたのは、国家が子どもたちを国家にとって都合のよい国民に教育しようとしているのではと。しかし、新科目「公共」の目的は、個人を尊重し、他者と協働して問題解決に取り組める「生きる力」を育もうとするもので、「国家のための国民育成」という思想とは違います。

2 「公共」が目指すもの 3つの資質能力

「生きる力」を育むための3つの柱

　新科目「公共」の目標とは何でしょうか。教科書作成の指針である新学習指導要領では、新科目「公共」は、幸福、正義、公正など人間と社会のあり方についての見方・考え方を働かせ、現代社会の諸課題を追究したり、解決したりする活動を通して、「グローバル化する国際社会に主体的に生きる平和で民主的な国家および社会の有為な形成者」の育成を目指すとし、育みたい3つの資質・能力をあげています。

「公共」で育みたい3つの資質・能力とは次の通りです。

①現代の諸課題を捉え考察し、選択・判断するための手掛かりとなる概念や理論について理解するとともに、諸資料から、**倫理的主体などとして活動するために必要となる情報を適切かつ効果的に調べまとめる技能を身に付けるようにする。**

②現代社会の諸課題の解決に向けて、選択・判断の手掛かりとなる考え方や公共的な空間における基本的原理を活用して、**事実を基に多面的・多角的に考察し公正に判断する力や、合意形成や社会参画を視野に入れながら構想したことを議論する力を養う。**

③よりよい社会の実現を視野に、**現代の諸課題を主体的に解決しようとする態度を養う**とともに、多面的・多角的な考察や深い理解を通して涵養される、現代社会に生きる人間としての在り方生き方についての自覚や、公共的な空間に生き国民主権を担う公民として、自国を愛し、その平和と繁栄を図ることや、各国が相互に主権を尊重し、各国民が協力し合うことの大切さについて自覚などを深める。

　新学習指導要領のもとで、「公共」に限らず、すべての科目において、「何を知っ

ているか」（知識ベース）より「何ができるようになるか」（資質・能力ベース）が重視されるようになりました。その観点から、「公共」でも資質能力の育成が、重要視されます。新学習指導要領の基礎になった、平成28年12月の中央教育審議会答申は、「予測困難な社会の変化に主体的にかかわり、感性を豊かに働かせながら、どのような未来を創っていくのか、どのように社会や人生をより良いものにしていくのかという目的を自ら考え、自らの可能性を発揮し、より良い社会と幸福な人生の創り手となる力」を「生きる力」とし、これからの学校教育においてこの「生きる力」を育みたいとしています。そして、この「生きる力」を具体化し、教育課程全体を通して育成を目指す資質・能力を

1) 何を理解しているか、何ができるか（生きて働く「知識及び技能」の習得）
2) 理解していること・できることをどう使うか（未知の状況にも対応できる「思考力・判断力・表現力等」の育成）
3) どのように社会・世界とかかわり、より良い人生を送るか（「学びに向かう力・人間性等」の涵養）

の3つの柱として整理しました。

　先の「公共」で育みたい3つの資質・能力もこの3つの柱に対応しています。すなわち、①が知識、技能、②が思考力・判断力・表現力、③学びに向かう力・人間性に対応しています。

　「公共で育みたい3つの資質・能力」では、「選択・判断するための手掛かりとなる概念や理論」「選択・判断の手掛かりとなる考え方」と「選択・判断の手掛かり」が、①、②のいずれにも出てきます。①で理解した上で、②で「現代社会の諸課題の解決に向けて」活用するという流れになっています。「選択・判断するための手掛かりとなる考え方」の例として、行為の結果となる個人や社会全体の幸福を重視する考え方（功利主義）、行為の動機となる公正などの義務を重視する考え方（義務論）をあげて、その活用を通じて、思考力・表現力・判断力や学びに向かう人間性を育成しようとしているのです。

▼育成すべき資質・能力の3つの柱

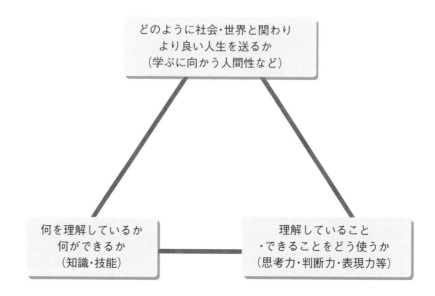

どのように社会・世界と関わり
より良い人生を送るか
（学ぶに向かう人間性など）

何を理解しているか
何ができるか
（知識・技能）

理解していること
・できることをどう使うか
（思考力・判断力・表現力等）

▼授業で楽しく学ぼう

公共の授業は
より実践的な
ものになる

③ なぜ新科目「公共」が生まれたのか

これまでの教育の課題

では、なぜ新科目「公共」が生まれたのでしょうか。これまでの教育、社会科教育に何か問題があったのでしょうか。

新学習指導要領の基礎となった中教審答申は、子どもたちの現状と課題として次のように述べています。

「判断の根拠や理由を明確に示しながら自分の考えを述べること、学ぶことの楽しさや意義が実感できているかどうか、自分の判断や行動がより良い社会づくりにつながるという意識を持てているか、学ぶことと自分の人生や社会とのつながりを実感しながら、自らの能力を引き出し、学習したことを生活や社会の中の課題解決に生かしていくという面に課題がある。」

要するに、子どもたちは、何のために学ぶのか、それが何の役に立つのかが実感できない、高校時代の私がそうだったように、受験のために覚え、受験が終われば忘れるような問題点があるということです。

また、中教審は「情報化の進展に伴い、子どもを取り巻く情報環境が変化する中で、視覚的な情報と言葉の結びつきが希薄になり、知覚した情報の意味を吟味したり、文章の構成や内容を的確に捉えたりしながら読み解くことが少なくなっていること、教科書の文章を読み解けていないとの調査結果があるなど、読解力に関する課題がある」と情報の検討能力、読解力に課題があるとしています。そして、社会科についての課題としては

① 主体的に社会の形成に参画しようとする態度や、資料から読み取った情報を基にして社会的事象の特色や意味などについて比較したり関連付けたり多面的・多角的に考察したりして表現する力の育成が不十分であること
② 社会的な見方や考え方については、その全体像が不明確であり、それを養うための具体策が定着するには至っていないこと

③課題を追及したり解決したりする活動を取り入れた授業が十分に行われていないこと

といった課題点が指摘されています。

そこで、新科目「公共」では、これらの課題を踏まえて、グローバル化、情報化、複雑化したこれからの時代に求められる資質・能力として、「社会との関わりを意識して課題を追究したり解決したりする活動を充実し、知識や思考力等を基盤として社会の在り方や人間としての生き方について選択・判断する力、自国の動向とグローバルな動向を横断的・相互的に捉えて現代的な諸課題を歴史的に考察する力、持続可能な社会づくりの観点から地球規模の諸課題や地域課題を解決しようとする態度など、**国家及び社会の形成者として必要な資質・能力を育んでいくこと**」が求められるとして、これらが新科目「公共」の目標となったのです。

▼現代社会で生きて行く

「公共」は毎日の生活の中で役に立つ

これがポイント

正解のない問いに向き合うために

新科目「公共」では、正解（知識）を暗記することではなく「正解のない問いに向き合うこと」が重視されています。それは正解がない問いに対して、他者の意見にも耳を傾けながら、最適解が納得解をめざすことです。実際の社会問題は、様々な立場から複雑な利害がからみあって、1つの正解があるわけではありません。地球温暖化問題についてみても、それぞれの国の利害があり、解決は容易ではありません。私人間の紛争においても、簡単に解決方法がわかるわけではなく、お互いの対話を通じて、適切な落とし所を探していきます。教育も、正解を覚えるだけではなく、実際の社会で必要とされる「正解のない問いに向き合う能力」を育むことにシフトしてきたのです。

新科目「公共」が生まれた時代背景

厳しい挑戦の時代と18歳

新科目「公共」が生まれた時代背景には、生産年齢人口の減少やグローバル化、社会の加速度的変化、複雑化といった「厳しい挑戦の時代」を迎えていること、そして、18歳選挙権、18歳成年という動きも大きく影響しています。

新学習指導要領解説では、「厳しい挑戦の時代」を迎える中で、子どもたちの「生きる力」を育む必要があるとして、次のように述べています。

「生産年齢人口の減少、グローバル化の進展、絶え間ない技術革新など社会の変化は加速度を増し、複雑で予測困難となってきており、しかもそうした変化が、どのような職業や人生を選択するかにかかわらず、全ての子供たちやこれから誕生する子供たちの生き方に影響する」「我が国が『厳しい挑戦の時代』を迎える中で、これからの社会を創り出していく子供たちが、社会や世界に向き合いかかわり合い、**自らの人生を切り拓いていくために必要な資質・能力を効果的に育むための中核を担う科目**を、公民科において新設することとした。」

そして、その中核科目が、新科目「公共」なのです。

● 18歳選挙権と18歳成年

2015年に公職選挙法が改正され、2016年より、選挙権年齢が２０歳から１８歳に引き下げられました。選挙権は、主権者たる国民が、民主政治に参加する重要な権利です。また選挙は、適切な代表者を選ぶという国民の責務でもあります。そこで、１８歳までには、主権者としてふさわしい一定の資質能力の育成が求められました。それは、単に政治のしくみについての知識の習得にとどまらず、**主権者として、社会の中で、自立し、他者と連携・協働しながら、社会を生き抜く力や地域の課題解決を社会の構成員の一人として主体的に担うことができる力を育むもの**です（主権者教育）。

また、2022年4月より、民法の成年年齢が20歳から18歳に引き下げられたことにともない、18歳から単独で契約ができる反面、未成年者取消権の保護がなくなることをふまえて、契約主体としてふさわしい情報収集能力、思考・判断力の育成が求められることになりました。

　さらに、これは、新科目「公共」設置後のことですが、裁判員裁判の候補者年齢も18歳に引き下げられました。裁判員として刑事司法に参加するにふさわしい主体となるために、裁判についての理解や判断能力を育むことも必要となっています。

　こうした「18歳から主体になる」といった流れの中で、**高校生にとって政治や社会は一層身近なものとなり、自ら考え、積極的に国家や社会に参画する資質能力を育む必要性が高まったこと**も、これから「公共」の学びが必要となる背景です。

● 世界の教育の潮流

　また、コンテンツベース（知識重視）からコンピテンシーベース（資質能力重視）へシフトした世界の教育の潮流の影響も受けています。

　OECD（経済協力開発機構）が、PISA「生徒の学習到達度調査」の2003年調査を実施しました。これは、高等学校1年生を対象に、知識や技能等を実生活の様々な場面で直面する課題にどの程度活用できるかを評価する調査したものです。その学力調査で、コンテンツ（知識）より資質・能力（コンピテンシー）が重視されました。この世界の教育の流れを受けて、日本においても、資質能力重視の教育にシフトしました。

　「主権者として社会に参画するにふさわしい自立した主体となるべく、他者と協働し、国家や社会の形成に参画する力を育成する。知識の暗記、覚えるだけで使えない知識ではなく、社会に出て役に立つ知識・技能を身につける。受け身ではなく、**主体的に取り組む意欲や姿勢、予測できない急速な変化に対応する力、現代の諸課題に、新しい問題に対処できる力を育み**、正解を探すのではなく、納得解・最適解を導く態度を身につけてもらいたい。」といった教育関係者の熱い思いから、新科目「公共」は誕生したのです。

新科目「公共」の構成

5 A「公共の扉」B「自立した主体」 C「持続可能な社会づくりの主体」

「公共」は、「グローバル化する国際社会に主体的に生きる平和で民主的な国家及び社会の有為な形成者を育成」することを目標とします。

その目標を達成するために「公共」は、「A 公共の扉」「B 自立した主体としてよりよい社会の形成に参画する私たち」「C 持続可能な社会づくりの主体となる私たち」の３つの大項目で構成されています。「選択・判断の手掛かりとなる考え方」の習得と活用がポイントとされています。

新科目「公共」は次の３つの大項目で構成されています。

A「公共の扉」においては，生徒は，社会に参画する際の選択・判断の手掛かりとなる考え方や公共的な空間における基本的原理を学習します。

選択・判断の手がかりとなる考え方として①**「その行為の結果である個人や社会全体の幸福を重視する考え方」**と②**「その行為の動機となる人間的責務としての公正などを重視する考え方」**を中心に学びます。公共的な空間における基本的原理とは、個人の尊重、民主主義、法の支配、自由・権利と責任・義務などです。

次に，**B「自立した主体としてよりよい社会の形成に参画する私たち」**においては，法，政治，経済の分野で１３のテーマが設定されており、生徒はA「公共の扉」で身につけた見方・考え方や基本的原理を活用して，具体的な社会事象や身近な生活と結びつけながら、他者と協働しつつ主題を追究したり解決したりする学習活動を展開します。また、社会を構成する主体となるために、協働が必要な理由、協働を可能とする条件、協働を阻害する要因などについて考察を深めます。その際、公共的な空間を支える様々な制度の改善を通じて、**より良い社会を築く自立した主体として生きるために必要な知識・技能、思考力・判断力・表現力及び態度を身につけていきます。**

そして、**C「持続可能な社会づくりの主体となる私たち」**において，生徒は、Bで取り扱った現代社会の課題について関心を一層高め、自らテーマを設定し，Aで学んだ選択・判断の手掛かりとなる考え方や公共的な空間における基本的原理を活用して，論拠をもとに自分の考えを説明・論述する探究活動（レポートの作成や発表）を行います。

　ざっくりといえば、Aで人間と社会の在り方についての見方・考え方を習得し、Bで現代社会のしくみと諸課題を学びつつ、Aで学んだ「見方・考え方」を活用するトレーニングを行い、Cで、総仕上げとして、AとBで学んだことを活かして、自ら社会問題についての問いを立て、探究活動を行い、レポートや発表を行うといったイメージです。

●「公共」の授業の流れ

　新科目「公共」の授業は、「何ができるようになるか」を目標にして、次のような流れをイメージしています。

①まず、公共的空間の意義や人間と社会の在り方についての「見方・考え方」を学びます。

②次に、「公共的な空間における基本的原理」について学びます。

　「見方・考え方」や「基本的原理」については、先哲の考えも参考にします。

③「思考実験」で課題の本質や原因を考察するとともに「見方・考え方」や「基本的原理」の活用のトレーニングをします。

（ここまで主に「A 公共の扉」）

④現代社会の課題を理解するための前提となる政治や経済といった社会の基本的なしくみについて学びます。その際には、資料、統計から読み取るトレーニングをします。歴史、先哲の考えからも学びます。

⑤社会のしくみとともに現代社会で、今、何が問題となっているのか現代社会の諸課題（地域の問題、国の問題、国際問題）について学びます。

⑥「見方・考え方」や「基本的原理」を活用し現代社会の諸課題を考察します。

（ここまで主に「B　自立した主体として社会形成に参画するために」）

⑦現代社会の諸課題の中から、自ら問いをたて、情報を収集・分析し、考察し、表現し、他者と対話・協働して考察を深めます。

⑧レポートやプレゼンで自分の探究活動を発表し、他者からのフィードバックを得て振り返ります。

（総仕上げとしての「C　持続可能な社会づくりの主体となるために」）

● **実践的なキャリア教育**

　新科目「公共」では、キャリア教育や18歳選挙権、18歳成年の観点から、主権者教育、消費者教育等の実践的な知識や心構えなどについても触れられています。

①主権者として
　　18歳選挙権　どの候補者、どの政党を選択し投票するのか
　　情報の取り方、見極めかた　フェイクニュースに注意すること
②契約主体として
　　18歳成年　契約で気をつけることは何か
　　消費者契約法　悪質商法の種類　クーリングオフ　クレジットのしくみ
③働く主体として
　　職業選択　自分に適した職業を選択するためには
　　会社の選び方　求人票の見方
　　ワークルールの理解
④司法参加
　　裁判員になったら　刑事裁判の原則　刑事手続　証拠による事実認定
⑤金融教育
　　各種金融商品の知識、長期・積立・分散投資

▼**公共の構成**

倫理入門
見方・考え方の習得　　　A 公共の扉

政治経済入門
見方・考え方の習得　　　B 自立した主体としてより良い社会の
　　　　　　　　　　　　　　形成に参画する私たち

総仕上げとしての研究　　C 持続可能な社会づくりの
　　　　　　　　　　　　　　主体となる私たち

6 「公共」の軸 人間と社会の在り方についての「見方・考え方」

幸福重視?　公正重視?

　社会において他者が存在する以上は、他者と「対立や衝突」は不可避なものです。自分が考えるより良い生き方や社会の在り方や幸福は、ときとして他者や他の集団、あるいは社会全体の幸福と対立したり、衝突したりすることがあります。その際、対立や衝突を調整し、全ての人にとって望ましい解決策やルールを考える必要があります。そのときに、どのようなことを選択・判断の手掛かりとして考えると良いのでしょうか。

新学習指導要領は「見方・考え方」の習得と活用を重視しています。社会科における「社会的な見方・考え方」は、課題を追究したり解決したりする活動において、社会的事象等の意味や意義、特色や相互の関連を考察したり、社会に見られる課題を把握して、その解決に向けて構想したりする際の視点や方法とされ、育みたい資質・能力の3つ全体にかかわります。

　新科目「公共」においては、「社会的な見方・考え方」の軸は、「正しい行為」の選択・判断の手掛かりとなる考え方であるとしつつ、行為の結果に着目する考え方（帰結主義）と行為の動機に着目する考え方（義務論）の2つを対照させて習得させます。

●選択・判断の手がかりとなる考え方〜幸福と公正
　「正しい行為」とは何かについて、行為の「結果」としての幸福を重視するのか、行為以前にある「動機」を重視するのかという選択・判断の手掛かりとなる2つの考え方があります。前者にベンサムの功利主義、後者にカントの義務論が紹介されています。

●ベンサムの功利主義

　行為の正しさを、行為の「結果」である個人や社会全体の「幸福」を重視して判断する考え方です。全ての人々の幸福などの充足を全体として最大限にもたらす行為が正しいとする考え方です（最大多数の最大幸福）。

●カントの義務論

　行為の正しさを、行為の「動機」となる「公正」などの義務を重視して判断する考え方です。予期される結果にかかわりなく、人間には従うべき義務的な制約があり、それに基づいて行動することが正しい行為であるとする考え方です。

▼行為の正しさとは？〜目的論と義務論

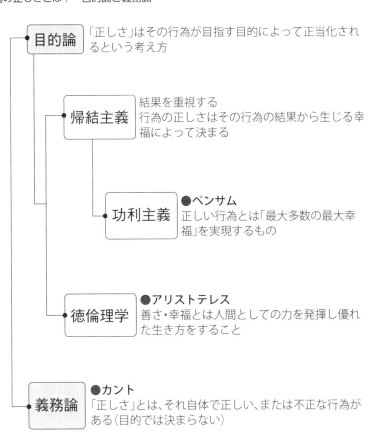

7 新科目「公共」の学び方

主体的・対話的で深い学び

「公共」を「どのように学ぶのか」については、「主体的・対話的で深い学び」が求められています。それはなぜでしょうか。また、「主体的・対話的で深い学び」とは、どのような学習方法なのでしょうか。

学校教育の目標は「何を知っているのか」から「何ができるようになるか」と、知識重視から資質・能力重視にシフトしました。目標である「何ができるようになるか」を念頭に置いたうえで、そのための手段・方法として、「どのような学習方法をとるのが良いのか」という観点から「主体的・対話的で深い学び」(アクティブ・ラーニング)が授業に求められています。

> 目的：「何ができるようになるか」（3つの資質・能力）
>
> ↑
>
> 手段：「どのように学ぶのか」（主体的・対話的で深い学び）

「主体的・対話的で深い学び」が求められたのは、社会参画できる能動的な自立した主体となってもらうためには、授業自体も活動的な学習方法をとることが必要だと考えられているからです。例えば、自らの考えを表現できる能力を育むためには、授業の中で、実際にアウトプットのトレーニングをしてもらう必要があるというわけです。この「主体的・対話的で深い学び」の実践は、すべての科目に共通する学び方ですが、「公共」の場合は特に、**現代社会の諸課題に向き合い、民主主義社会に参画する自立した主体を育もうとする教科の目的から、「主体的・対話的で深い学び」の必要性や重要性はより一層高くなります。**

「公共」の学習は、教員の講義を一方的に聞いて、重要語句を暗記するという受け身的なものではありません。生徒自らが主体となって能動的に学ぶ学習です。そこで、主体的に現代社会の諸課題の解決について考えるテーマ学習が

メインとなり、「あなたはどう考える？どうする？」の問いに自らの頭で考えていきます。資料を読み取り、調べて、クラスメイトと対話し協働しながら、課題の解決に取り組みます。そこでは1つの正解を見つけるのではなく、最適解・納得解をめざしていくものです。現実にある問題（例えば死刑廃止問題）について賛成派、反対派に分かれた討論や模擬裁判・模擬調停といった体験活動のように、生徒が主体的に考え、対話し、発言する学びが求められています。

●「主体的・対話的で深い学び」とは

　「**主体的な学び**」とは、単に知識を覚えるといった受け身的な学習ではなく、学ぶことに興味や関心を持ち、自らのキャリア形成の方向性と関連付けながら、見通しをもって粘り強く取り組むことをいいます。

　「**対話的な学び**」とは、他の生徒との対話、教員や地域の人との対話、先哲の考え方を手掛かりに考えること等を通じ、自己の考えを広げ深めることをいいます。

　「**深い学び**」とは、習得・活用・探究という学びの過程の中で、人間と社会の在り方についての［見方・考え方］を働かせながら、知識を相互に関連づけてより深く理解したり、情報を精査して考えを形成したり、問題を見い出して解決策を考えたり、思いや考えを基に創造したりすることに向かう学びをいいます。

　「主体的・対話的で深い学び」は、授業の中で、教員からの問いかけをきっかけに、教員と生徒や生徒同士の対話による実践が期待されていますが、新科目「公共」の教科書でも、思考実験や諸課題の問いかけやワーク、見方・考え方の活用法を示すなど、「主体的・対話的で深い学び」ができるように、随所に工夫が施されています。

主体的に学ぶことが大切

memo

A【公共の扉】
公共的な空間をつくる
私たち
～社会の中の自己～

大項目 A「公共の扉」では、多くの人がともに生きる公共空間の中で、各人がどのように考え、発言し行動してしまうのか、その根底にある見方・考え方を理解しようとするものです。倫理入門的な意味合いもあります。

8 青年期と自己形成の課題

自分らしさとは何か?

　私たちは、社会の中で孤立して生きるのではなく、他者とかかわり合いを持ち、集団の一員として生きる存在です。人は、主に青年期に、他者からの承認を通じて、アイデンティティを確立していきます。このアイデンティティの確立が、さらなる他者とのかかわり合い、社会への参画をうながします。

「**青年期**」とは、人間の生涯にわたる発達の中で、子どもから大人への過渡期にあたる時期です。私たちは、この青年期に、他人とは異なる自分に気づき、「私らしさとは何か」について問いかけ、悩みながら、人生を左右するような体験をしたり、心に残る感動的な経験をしたりします。これらを手掛かりにして、人間としての在り方生き方を理解していきます。

　アメリカの心理学者エリクソンは、人生を8つの発達段階によるライフサイクルとして捉え、**人間はそれぞれの段階で発達課題を達成しながら最善の自己を作っていくと考えました**。エリクソンによれば、青年期の発達課題は、私は私なのだ、私は私のままでいいのだという自我同一性を確立していくこととされています（アイデンティティの確立）。アイデンティティは、主に他者からの承認経験によって確立されます。他者との関係の中で社会における自分の役割とは何なのか、自分の個性とは何かを確認し、他者と相互に認め合うことが自己肯定につながります。

　「自分は何者なのか」「どのように社会の中で生きていけば良いのか」などを、他者との関係の中で、考える過程を通じて、人は、社会での自分の「居場所」を見い出していきます。自分を知るためには、他者とのかかわり合いが不可欠なのです。

● 他者と対話することの重要性

　人間にとって、他者から認められ、自分の存在意義を実感することはとても大切なことです。他者に対して、開かれた態度で働きかけ、かかわり合おうとすること、相手の立場にたって共感することで、自己もまた他者から承認され

やすくなります。他者との対話の中で、自らの考えや経験を語り、相手の応答や考えに耳を傾けることで、自分とは異なる考え方や価値観を知り、自分の個性や考え方について気づいていきます。このように対話を通じて自他の相互承認を深めていくことで、社会における自己の在り方を確立していくことが大切なのです。

自分を知るためには他者を知る

　自分が何者なのかは、家にこもって一人考えていてもわかりません。外に出て、他者とかかわり合うことで、自分というものが見えてきます。特に、自分とは違う性格や価値観をもつ人との交流が、刺激になります。自分で当たり前と思っていたことが、他者と対話することで「こんな考え方があるのか！」「そういうことを大切にするのか！」と、決して当たり前ではなかったことに気づくのです。

青年期の10の発達課題とは

　アメリカの教育学者ハヴィガーストは、青年期の発達課題を次のものをあげています。

① 同性の友人や仲間をつくり、成熟した人間関係をもつ
② 異性の友人または恋人をつくり、男女交際を学ぶ
③ 自分の身体の構造を理解し、身体を有効に使う
④ 両親やほかの大人から精神的に独立する
⑤ 経済的独立について自信をもつ
⑥ 職業を選択し、その準備となる学習をする
⑦ 結婚や家庭生活の準備をする
⑧ 市民として必要な知識と態度を身につける
⑨ 社会人としての常識や責任ある態度を身につける
⑩ 自分の行動を導く価値観・倫理観をもつ

　私もそうですが、大人のみなさんも現在も課題を克服中、「青年期」の方もいるのではないでしょうか。

9 自由と人間としての尊厳

自由とは何か

「自由」が人間にとって大切であることは、感覚的にわかります。しかし、自由はなぜ大切なのでしょうか。そもそも人間の自由とは何でしょうか。哲学者カントは、本当の自由を、自らの道徳法則をたて、自らそれを従うこと（意志の自律）としました。一方、思想家ミルは、自己決定ができることが自由であり、他者に危害を加えない限り自由であると説きます。

自由とは、何でしょうか。規則やルールがなく、何も制約がない状態のことでしょうか。しかし、規則やルールといった制約が一切なく、お互いが好き勝手に行動すれば、かえって不自由な生活になってしまうことは容易に想像できます（例えば、交差点の信号が停電している状況を想像してみてください）。**規則やルールは、社会の中で、他者と共存しつつ、自由を確保するために存在するといえます。**もっとも、不適切な規則やルールは、自由を抑圧します。そこで、自由を守るためには、「適切な」規則やルールを構築し、運用していくことが、大切になります。

● 意志の自律としての自由

では、人間の「本当の自由」とは何でしょうか？ドイツの哲学者カントは、本当の自由を、自らの道徳法則をたて、自らそれを従うこと（意志の自律）としました。

その道徳法則とは、○○すべしという無条件の命令（定言命法）をとります。人間が何かをしようとするとき、その行為を命じる内面の声があります（良心といってもよいでしょう）。例えば、電車で高齢者に席を譲ろうとする場合、「ほめられたいならば、席を譲れ」と心の中で考えているとしたら、そこには「意志の自由」はありません。それは、自分の行為についてどのような見返りがあるだろうかという配慮に基づいた条件付きの命令（仮言命法）であって、条件から自由ではないからです。「高齢者に席を譲るべし」など無条件の命令（定言命法）である道徳法則によらなければ、意志の自由はないとしたのです。

● 人格の尊厳

　カントは、このような「意志の自律」を持ち、道徳の主体としての人間を「自律的な人格」と呼び、こうした**自律的な人格であるがゆえに、人間は全て平等であり、尊厳をもつものであると**説きました。カントは、互いの人格を目的として尊重し合う理想の社会を「目的の国」と呼びました。カントは、人格としての人間は、それ自身が究極的な価値をもつものであって、目的として扱わなければならず、決して単なる手段としてのみ扱われてはならない、と説きます。人間の価値とは、役に立つとか知識があるからで増すのではありません。自律的な人格としてあることが人間の価値であり、人間としての尊厳なのです。

● 自己決定としての自由

　イギリスの思想家ミルは、著書「自由論」の中で「人がもっとも幸福になれるのは、幸福を追求する手段を各人が自分で選べるようになっているときである」と述べ、**自由とは、何かを選びとるときに他者から強要されない、自らで決定できる「自己決定」**と考えました。そして、他人に危害を加えなければどのような行為も幸福追求の自由として認められるべきだと「他者危害の原理」を唱えました。カントのいう自由も、ミルのいう自由も「自律」、すなわち「自らの行為を選べること」という点では共通しています。自らの行為を誰かによって妨げられず選択できるということは自由の基本になるわけです。

● 自由と幸福について

　「幸福」とは、何でしょうか。豊かさ、快楽、名誉、心の充足、幸福の定義は人それぞれかもしれません。しかし、幸福の前提となる状態は共通しています。例えば、生命の危険がなく安全であること、差別されないこと、食べる物に困らないこと、病気に苦しんでいないこと、そして自由であることです。

　幸福には、自由に自らの生き方を選択できること、自らが望む「幸福を追求することができる」ことが必要です。日本国憲法第 13 条が、幸福を保障せずに、「幸福追求権」を保障しているのは、幸福の定義は人それぞれではあるけれど、**自由に幸福を追求する権利は、人が幸福であるために、誰にでも保障されるべき**と考えているからです。このように自由と幸福は密接につながっています。

10 社会的な存在としての人間
異なる他者との対話の重要性

　人は、他者と対話をすることで、自分とは異なる考え方や価値観に気づき、自分という存在を見つめ直します。自由に自分の意見を述べ、様々な人々と話し合うことを通じて、より良い「公共空間」が形成されていきます。

「公共空間」とは、人々の自由な活動によって成立する開かれた空間です。公共空間では、自分の意見が、身内以外の他の人の目にもさらされます。考えたことを自由に発言する公共空間は、古代にもあり、古代ギリシャのポリスにおけるアゴラがその例です。アゴラは、町の中心にある広場で、政治や学問について議論が交わされていました。また、１７世紀に登場したコーヒーハウスでは、市民が時事問題について議論をし、世論を形成する場所になりました。このような公共空間で、人々はそれぞれ自由に考えたことを発言し、自分と異なる価値観をもつ他者との対話を通じて、互いを高め合うことのできる社会的な存在になっていきました。

　「公共空間」は、自分とは異なる価値観を有する他者との対話で成り立っています。ユダヤ人の政治哲学者アーレントは、自分と異なる人と語り合い、複数の見方・考え方を学びながら、自分というものを言葉や行為によって表現し合うことを「活動」と呼び、人間の存在に意味を与えるとしました。**「活動」は人と人が集まり自分の考えを表明し、議論を交わすコミュニケーションであり、そうした活動の場としての社会を「公的領域」と呼びます。**
　ドイツの哲学者ハーバーマスは、人間には、人間同士互いににによく理解し合うことを可能にする「コミュニケーション的理性」があり、コミュニケーション的理性を通して、合意形成を試みることで、価値観・利害が異なる人々がそれぞれにとってより良い結論を導くことができると考えました（熟議民主主義）。

▼このセクションで紹介した哲学者

アーレント（1906〜1975年）
ドイツで生まれ、アメリカで活躍した
ユダヤ系哲学者。自らがナチスに迫害された経験を持つ。

ハーバーマス（1929年〜）
ドイツの哲学者、社会学者。アーレントからの影響を受け、
対話による公共性の実現をめざした。

▼会社という公共空間の存在

会社の中にも
さまざまな
公共空間がある

11 異なる価値観や考え方をもつ他者と共生するために

寛容と自省することの重要性

社会には、自分や自分たちと異なる価値観や考え方をもつ他者が存在しています。私たちが、そのような他者と、どのようにすれば平和に共生することができるのでしょうか。

価値観や宗教、信条、文化、国や民族などについて、私たち自身が信じていることを大切に思う気持ちがあります。それは素晴らしいことではありますが、一方で、自分とは異なる価値観や宗教、文化、国や民族等の他者に対して、「自分の〇〇のほうが優れている、他者の〇〇が劣っている」と考えてしまう可能性もあります（自民族中心主義）。そのような考えが行き過ぎると、自分とは異なる文化等の他者を差別したり、排除や攻撃したりしてしまいます。

そして、こちらが「自分の〇〇が優れている」と思うように、相手は相手で「自分の〇〇が優れている」と思っていますから、衝突が起き、戦争となってしまうのです（宗教戦争がその典型例です）。国家レベルでもそうですが、私たちの身近な集団においても異なる集団同士で、優劣を考えると「自分たちが優れている」「そちらは野蛮だ」と言い争いになって、同じことがあてはまります。

フランスの文化人類学者レヴィ・ストロースは、「いかなる文化も他の文化の道徳的・知的価値を批判できるような基準を持たない」という「文化相対主義」を唱えました。本来、各々の民族や文化はそれぞれに固有の背景と価値をもち、優劣をつけることはできませんし、そうすべきでもありません。文化の違いが生む対立や争いを避けるためには、お互いに相手の文化や宗教を「尊重する」という姿勢が大切です。**尊重するというのは、相手の文化や価値観を劣っていると見下したりせず、対等であると考え、相手が文化や価値観を大切にしている気持ちを、認めるということです。**違いを違いとして受け入れ、相手が何かを大切に思うというその気持ちを、認めるということです。

　自分の文化等が優れていると思い込むのと同様に、「自分の考えが正しい、相手が間違っている」と思い込むことも、他者との共生を妨げます。自分や他者の意見に対して、常に謙虚であろうとする態度が重要です。１６世紀の思想家モンテーニュは「私は絶えず私を考察し、私を検査し、私を吟味する。」と自省することの重要性をのべました。１８世紀フランスの啓蒙思想家ヴォルテールは「寛容論」で、人々に、自分とは異なる意見やふるまいを受け入れること、また他者の欠点や過ちを厳しく責めない寛容の大切さを唱えました。

▼フランスの裁判所

> フランスは
> 多様化時代の
> さきがけである

ちょっとウンチク

「自分がしてほしくないことは他者にもしてはいけない」

　ヴォルテールは、「寛容論」の中で、自然の法と人間の普遍的な原則として「自分がしてほしくないことは他者にもしてはいけない」と述べています。当たり前のことですが、これがなかなかできずに、私たちは自分がしてほしくないことを相手にやってしまいがちです。そして、紛争が起きてしまいます。キリスト教の「自分がしてほしいことを他人にもする」ことも大切ですが、まずは「自分がしてほしくないことは他者にもしてはいけない」が、対人関係を良くするための出発点でしょう。

（12）多様性の尊重

人はみな同じ、人はみな違う

　自分とは異なるいろいろな人がいる社会の中で、対立や衝突は不可避であり、問題解決のためには、調整が必要です。ところが、対立した相手を差別、排除、攻撃をしてしまっては、調整どころではなく、平和に共存することはできなくなります。

対立した相手と調整をするためには、人は価値観や考え方もそれぞれ違う存在であるという「多様性」を尊重し、人はみな人として尊重されるべき存在で同じであるという「共通性」をふまえて、相手と対話する必要があります。**人は固有の存在でみな違っているが、人としての価値は、みな同じです。この理解が大切です。**

　もし、ここで多様性を尊重しないと、自分や自分が属する集団とは異なる他者、異なる集団については、異質なものと捉え、差別や排除、攻撃に向かいます。また、人は全て尊重されるべき存在であるという共通性の前提がなければ、異なる他者は、同じ人として捉えずに、自分や自分たちより劣る人（たち）と捉えてしまい、やはり、そのような人に対しては、差別や排除、攻撃をしてもかまわないと考えてしまいがちになります。

　人はみな違っているところを、その多様性を認めず、自分（たち）の価値観や考え方を相手に押しつけようとすると、相手は当然反発して、調整はできませんし、また、人はすべて人として尊重される存在であるという認識がないと、対等な対話もできず、攻撃的になって、やはり調整ができません。

　人と人とが対立し、衝突した際に、調整をするためには、多様性を認めつつ、同じ人としての価値を認める姿勢は、お互いに必須となるのです。こうして、対立した状況で、良い問題解決を考える際には、「人はみな同じ、人はみな違う」を意識する必要があります。

　さらに、多様性を尊重することは、差別や戦争をなくすこと、紛争を解決するためだけではなく、社会をしなやかに強くすることにもつながります。異なる他者との対話と協働によって、新しい発想やイノベーションを起こし、組織

や社会を活性化するきっかけにもなるのです。マシュー・サイド著「多様性の科学」では、「人類の発展は、多様な人々とのつながりにかかっている。多様性は、業績を上げ、イノベーションを起こす要因となる。複数の視点によって問題を解決できる。多様性が社会の活力になる。一方で画一的な組織では凋落する」等と多様性の重要性について、多くの事例を紹介しながら述べています。そして、多様性の力を発揮させるためには、集団の中で人々が自由に意見を交換できること、互いの反論を受け入れられること、他者から学び、他者と協力しあえること、第三者の意見を聞き入れられること、失敗や間違いを許容できることが必要だと唱えています。

　多様性を尊重することは、義務論的に他者を人として尊重する意味もありますが、功利主義的に見ても社会を活性化させ、社会全体の幸福を増大させる意味もあります。そして、現代社会が抱える諸課題に立ち向かっていくためには、多様性を積極的に活用することが求められているのです。

これがポイント

みんな違って、みんないい

多様性という言葉から、私は、金子みすゞの有名な詩を思い浮かべます。

『私と小鳥と鈴と』

「私が両手をひろげても、
お空はちっとも飛べないが、
飛べる小鳥は私のように、
地面を速くは走れない。

私がからだをゆすっても、
きれいな音は出ないけど、
あの鳴る鈴は私のように、
たくさんな唄は知らないよ。

鈴と、小鳥と、それから私、
みんなちがって、みんないい」

〜引用：「金子みすゞ名詩集」彩図社刊より

そう。みんな違っていて、みんな尊い存在なんです。

memo

第  章

公共的な空間における
人間としての在り方生き方
～共に生きるための倫理～

　社会における「正しさ」とは何でしょうか。「貧困者の援助する理由」について、ある人は、それが「社会全体の幸福を増やすことになるから」というかもしれないし、別の人は「貧困者の置かれた境遇を改善すること自体が義務だから」というかも知れません。前者の考え方を「目的論」、後者を「義務論」といいます。

功利主義と幸福の原理

最大多数の最大幸福

「行為の正しさ」の基準となる考え方として、良い結果をもたらす行為を正しいとする「帰結主義」の考え方があります。その代表例が、社会全体の幸福の増大をもたらす行為が正しいとする「功利主義」です。

行為の「正しさ」 を判断する基準として、その行為がめざす目的によって正当化されるという考え方の「目的論」と、行為の目的では決まらず、それ自体で正しい、または不正な行為があるとする「義務論」があります。

そして目的論については、行為の正しさを判断する基準として行為の結果生まれる善さや幸福に着目する「帰結主義」と行為する人間の生き方の善さ（徳）に注目する「徳倫理学」があります。帰結主義のうちの代表的なものが「功利主義」です。

● 帰結主義〜行為の結果に着目

イギリスの哲学者ベンサムは、できるだけ多くの人々にできるだけ多くの幸福をもたらすのが最善の行為であるとして「最大多数の最大幸福の達成」が、社会的な正義の実現と述べました。幸福とは快楽であり、不幸とは苦痛であって、あらゆる人間は快楽を求め苦痛を避ける存在であり、社会全体の快楽量を最大化し、苦痛量を最小化するのが正しい行為だと考えました（功利主義）。

イギリスの政治哲学者ミルは、功利主義を継承しつつも、精神的快楽は、肉体で感じることができる物質的快楽よりも高次であると、「質的功利主義」を唱えました。「満足した豚であるよりは、不満足な人間である方がよく、満足した愚か者であるよりは、不満足なソクラテスである方がよい」という有名な言葉がこれを表しています。最大幸福は量だけではなく質を考慮すべきであり、例えば、席を譲るのは、席を譲って感謝される幸福の方が、座ったままの状態で得られる満足より質が高いからです。**質の高い幸福を多くの人々が追求できるような社会を目指すことが、正しい行為だとしました。**

● 徳倫理学〜生き方の善さに着目する

　「目的論」には、帰結主義の他に、徳倫理学があります。徳倫理学は、行為の目的を結果ではなく、**人としてよい生き方をすること、徳を実現していること**としました。古代ギリシャの哲学者アリストテレスによると、徳には知恵や思慮などの知性的徳と、勇気や誇り、節制などの倫理的徳があり、人は徳のある行為を繰り返すことで徳のある人となり、その人の行為は徳のあるものとなり、このように徳を身につけ、実践することが人間にとっての幸福であるとしました。

▼このセクションで紹介した哲学者

ベンサム（1748〜1832年）
イギリスの哲学者、法学者　ベンサムは、医学の発展のために、自らの遺体を解剖ののち保存するように遺言し、現在もロンドン大学に保管されています。

ミル（1806〜1873年）
イギリスの哲学者、経済学者。ベンサムの功利主義を批判的に継承し、質的功利主義を打ち立てた。

ちょっとウンチク

功利主義は利己主義ではありません

　功利主義というと、自己中心的というイメージをもつ人もいるかも知れません。しかし、ベンサムの求める幸福は、自分だけの幸福ではなく、社会全体の幸福です。みんなの幸福の増大を考えようとするものです。またベンサムは、それぞれの人の「幸福」は等しいとしました。自分の幸福の増大だけを考える利己主義、自分の幸福だけは価値が高いという考え方とは違います。

義務論と公正の原理

誰かを犠牲にする行為は不公正であり許されない

「行為の正しさ」の基準として、行為の結果とは無関係に、その行為を行うのが人としての義務だからという「義務論」があります。行為の正しさの基準として、「公正さ」を重視する考え方です。いかに社会全体の幸福を増大するためであっても、その手段として誰かを犠牲にすることは「不公正」であり、許されないと考えます。

カントの「義務論」は、無条件に良いとされるのは、義務（人間としてなすべきこと）を義務として行う意志（善意志）だけであるといいます。そして、行為の正しさ（＝善さ）は、その結果ではなく、動機となる意志の内にあると主張しました（動機説）。人は、行為の結果とは無関係に、自ら設定した「○○すべし」という無条件の命令（定言命法）である道徳法則に従って、行為すべきとしました。

カントは、**自ら定めた義務を果たし、お互いを幸福のために利用せず、その人格を「目的」として尊重しあうことが重要である**と説きました。カントの「義務論」からすると、多数の者の幸福が増大する行為であっても、一部の人を犠牲にするような行為は、人を手段として扱うもので、許されないということになります。

●公正としての正義

行為の正しさを判断基準として、「公正」といえるのか、「不公正」になっていないかという視点も重要です。功利主義が説く、幸福追求を正しさの指針とみなす場合、全体の幸福が増大するためには一部への不公正を許容するという結論になる可能性があります。

アメリカの政治哲学者ロールズは、**正しさの基準を「個人の自由の平等な保障」に求めます（リベラリズム）**。ロールズは、社会的な幸福（効用）の最大化をめざす功利主義では、社会的な基本財の分配が不平等・不公正になり、少数

者の権利が守られないと批判します。ロールズによれば、**人々がとるべき正義の原理とは、全ての人々に社会生活を送るにあたって誰もが望む権利や自由、機械、所得、富、自尊心など（社会的基本財）が正しく分配されることです。**ロールズは、社会が次の原理を受け入れることで、社会的基本財が公正に分配されると考えました。第一に、全ての人が自由を等しくもつという原理（平等な自由の原理）であり、第二に、不平等が生まれるとしても、それはすべての人々に機会が等しく与えられた結果でなくてはならず（公正な機会均等の原理）、しかもその不平等は、もっとも恵まれない人々の状況を改善する場合にのみ許されるべきというもの（格差原理）です。

さらに、インドの経済学者センは、格差是正のためには、ロールズのいうように単に資金や資源を分配するだけでは不十分で、それぞれの人の置かれた状況や身体能力について細かな配慮が必要であり、教育の充実や衛生確保、健康を促進することによって、人々の「潜在能力」（自分にとって価値のあることを、やろうと思えばできること）が発揮できるようになることが必要だと唱えました。**どのような人であっても、等しく自分の目標や理想を追求できる社会が公正な社会と考えます。**

● 「トロッコ問題」を、功利主義、義務論で考えてみよう

有名な思考実験である「トロッコ問題」を、功利主義と義務論の視点で考えてみましょう。

「あなたは、線路の分岐点にいる。目の前にポイント切り替えレバーがあり、あなたはそのレバーを切り替えることができる。向こうから、暴走してきたトロッコが近づいてきた。トロッコの行く先の線路には、5人の作業員がいる。このまま何もしなければ、5人の作業員がトロッコにひかれて死んでしまう。ポイントを切り替えれば、トロッコは1人の作業員が作業をしている線路へと進入し、5人の作業員は助かるが、1人の作業員は代わりに死ぬことになる。ここで、別の手段でトロッコをとめたり、破壊したりして、衝突を回避することはできない前提とする。選択肢は2つしかない。あなたは、ポイントを切り替え5人を助け1人を犠牲にするか、何もせず5人を犠牲にして1人を救うか」。

まず、「行為の結果である個人や社会全体の幸福を重視する考え方」である功利主義では、行為による結果が幸福を増大させるかに着目します。5人の命が助かるという幸福は、1人の命が助かるという幸福を上回るので、ポイントを切り替え1人を犠牲にし、5人を助ける行為を選択するとなりそうです。

次に、「行為の動機となる公正などの義務を重視する考え方」である義務論ではどうでしょうか。この立場では、全ての人の人格を単に手段としてではなく目的として尊重し合える社会をめざし、どのような状況にあっても人格を手段として扱ってはならないと考えることから、5人を救うために1人の命を「手段」とすることはできないと考え、ポイントを切り替えないということになりそうです。

▼このセクションで紹介した哲学者

カント（1724〜1804年）
ドイツの哲学者。カントの生活は規則正しく、近所の人は彼の散歩を見て、時計の時刻合わせをしたとか。

ロールズ（1921〜2002年）
アメリカの政治哲学者。社会契約説に基づきリベラリズムの立場から正義論を展開した。

ちょっとウンチク

ドイツ航空安全法〜ハイジャック機への対応

　犠牲をより少なくするためにハイジャックされた飛行機を戦闘機で撃墜することは許されるのでしょうか？　2001年に起きたアメリカ同時多発テロ事件の影響もあり、ドイツでは、2004年に「ハイジャック機の撃墜を含む権限を、連邦国防大臣に与える」という航空安全法が可決されました。功利主義的に、助かる命と犠牲となる命の数を比較して、助かる命の数が多いとして、この法律に賛成する考え方もあるでしょう。しかし、犠牲となる命は、助けようとする命の「手段」という位置づけになります。カントの義務論の立場からは許されないことになりそうです。2006年ドイツ憲法裁判所は、「航空安全法は、乗っ取り機の乗客を他の人々の生命を救うための単なる物体としてしまい、人間の尊厳、生存権に合致しない」と違憲判決を出しました。カントのいう人を単なる「手段」としてはならないという考え方を重視したのです。

15 環境倫理について考えてみよう

大規模開発を功利主義と義務論の視点で考えてみよう

　社会では、生活向上のため道路やダムなど大規模開発を行うものに、開発地周辺の自然環境が悪化して、生活環境まで悪影響を及ぼすことがあります。生活向上のための大規模開発を行うべきかについて、功利主義と義務論の見方・考え方を活用して考えてみましょう。

事例を用いて考察してみましょう。A市では、洪水の防止や利水のために大規模なダムを建設する計画がもち上がっています。ダムの建設によって、自然環境に負荷をかけ、生態系の破壊をもたらすとの懸念もあり、住民による反対運動も行われています。どのように考えるべきでしょうか。

　功利主義と義務論の見方・考え方を活用して考えてみましょう。

　功利主義の立場からすると、ダムの建設によってもたらされる生活や社会の効果と自然破壊などのマイナスを考慮し、開発によって自然は部分的に失われますが、自然への影響に配慮した開発を行えば、洪水の防止や利水の効用が上回るとして、社会の幸福度の最大化という観点からそのダム建設は正当化されそうです。一方で、義務論の立場からすると、自然環境の維持、生物多様性や生態系の維持は、義務であり、自然環境を破壊する開発は避けるべきとなりそうです。

●「共有地の悲劇」と環境問題

　環境問題を考えるときに参考になる「共有地の悲劇」という話があります。

　「ある村に5人の村人がいました。村には村人が共同で所有する牧草地があり、そこで一人20頭ずつの羊を飼っていました。村人は羊を売ることで生計を立てています。羊は皆まるまると太っていて1頭100万円の価値があります。しかし、羊の数を今より1頭増やすと、飼料となる牧草が1頭分減るため、羊の

価値は1万円分減ってしまいます。もし、あなたが村人だったら、この状況で羊の頭数を増やすでしょうか？」

　ある村人は、自分の儲けを増やすために、羊を増やしました。その結果、利益を増やすことができました。ところが、他の4人の村人も、「ならば、自分も増やして儲けよう」と羊を増やし始めました。こうして、どんどん羊が増えた結果、羊はやせていき、1頭あたりの儲けも減っていきました。ついには、牧草がなくなり、羊も育てられなくなってしまいました。村人たちは、全員、牧羊業を廃業してしまいました…。

　確かに、悲劇ですよね。このように、**個人が自分のことだけを考えて行動することで、他の人々も同じ行動をとり、結果的に全員にとって望ましくない状況になることを「共有地の悲劇」といいます**。環境問題も、自分くらいいいだろうと環境に負荷を与える行動をとっていくと、他の人も同じように考え、結局、自然環境が破壊されて、そこで暮らすことができなくなるという悲劇を生みます。

　このような「共有地の悲劇」を避けるためにはどうすればいいのでしょうか。共有地の例で考えると、共有地の構成員（村人たち）で共有地を区画したり、放牧する羊の数や時期について村の人間でルールを設けたりする方法が考えられます。

　では、地球環境問題、例えば地球温暖化問題・二酸化炭素削減についてこの「共有地の悲劇」をあてはめて考えるとどうなるでしょうか。

16 中学公民で学ぶ見方・考え方

「対立と合意」「効率と公正」

高校の「公共」では、人間と社会の在り方についての選択判断の手掛かりとなる見方・考え方として、「幸福・正義・公正」として功利主義や義務論等を学びますが、中学で学ぶ「公民」では、「対立と合意」「効率と公正」という見方・考え方を学びます。この見方・考え方は、「公共」においても活用されるものとされています。

「対立と合意」

「効率と公正」とは、「対立」を解消して「合意」を形成する過程において、「効率」や「公正」の視点から考えるというものです。

中学の学習指導要領解説では、対立と合意について、「集団に属する人は、1人1人個性があり多様な考え方や価値観をもち、また利害の違いがあることから、当然、集団の内部で問題や紛争が生じる場合もある。・・・ここではそれらを「対立」として捉えているのである。このような「対立」が生じた場合、多様な考え方をもつ人が社会集団の中でともに成り立つように、また互いの利益が得られるよう、何らかの決定を行い、「合意」に至る努力がなされている。」といっています。

```
対立 ━━━━━▶ 合意
この過程で効率を考える
     公正を考える
```

「効率」とは、時間や物の無駄がないこと、限られた財源が無駄なく使われ、より大きな成果が得られていることをいい、「公正」とは、偏りなく正しいこと、立場によって不平等にならないことをいい、手続きの公正さ、機会の公正さ、結果の公正さに分けられます。

「手続きの公正さ」とは、みんなが参加して決めているか、誰か決定に参加できていない人がいないかです。例えば、集団全体にかかわることについて、

集団の構成員が意見を述べる機会がなく、一部の人だけで決めてしまうことは、手続きが不公正です。

　「機会の公正さ」とは、スタートラインの公正さです。形式的な平等を図ろうとするものです。例えば、一定の成績をとれば、誰もが合格するというもので、女性受験生だけに厳しい合格ラインを設定するのは不公正です。「結果の公正さ」とは、みんなが同じになるようにすることです。ハンディキャップのある人には援助して、そうでない人と同じようにするということです。実質的な平等（公平）を図ろうとするものです。

▼全ての前提として公正が求められる

公正」と「平等」は同じとは限らない

これがポイント

「効率と公正」の教材例

　Ａ高校では、「通学で自転車を使用しても良いのは、学校と自宅の距離が２ｋｍ以上離れた生徒のみとする」という規則があります。しかし、駐輪場が余っていて、「駐輪場が余っているのに、使えないのはおかしい」「1.5ｋｍで認めてほしい」「部活を終えての徒歩の帰宅は暗い夜道で怖い」といった意見が生徒から出され、規則を変えようという話になりました。効率と公正を意識して、どのような規則がいいのでしょうか。「効率」の観点から、駐輪場が余っているのは、効率的ではなく、余らないように配分をしようということになります。次に、「公正」の観点から、誰に配分するのが良いのかを検討します。駐輪場の余りにも限界があるので、希望者全てに、自転車通学を認めることはできません。単純に距離を２ｋｍから1.5ｋｍなどと対象を広げればよいのでしょうか、それとも生徒の事情、例えば部活をやっていること、学年、性別、身体的な問題といった個別事情を考慮していくのがいいのか、様々な生徒の立場をふまえて、どのように余った駐輪場を配分するのが「公正」なのでしょうか。
（「高校社会「公共」の授業を創る」橋本康弘編著　明治図書より引用）

17 自由、平等、幸福、正義、公正、公平、効率の関係

幸福グループと公正グループ

　自由、平等、幸福、正義、公正、公平、効率とそれぞれ重要な概念で、「自由とは何か」「平等とは何か」「幸福とは何か」と先哲たちがあれこれと考えを巡らせた難しい問題です。「公共」では、そのような重要な概念がいくつも出てきますが、どのように捉え、また相互にどのような関係になっているのでしょうか。あくまで私の考えですが、おおまかに、以下のように整理できるのではないかと思います。

　ベンサムとミルの「幸福追求重視」グループとカント・ロールズの「公正重視」グループに分けて考えます。正しいルールとは、各人が自由に幸福追求できる場を提供しておけば良いという考え方（幸福追求重視）と、自由競争で負けた人、競争に参加できない人を放置せずに助けるべきとする考え方（公正重視）です。

　自由＝幸福の追求は、他者とともに暮らす社会においては、ぶつかり合います。そこで、調整のためのルールが必要になります。正しいルールとは何でしょうか。

●幸福追求重視

　自由とは、自分が誰かに妨げられず自己決定できることをいいます。幸福とは、自由であること、幸福追求ができることです（ミル）。「正義＝正しい行為」とは、社会の幸福を最大化させることです（ベンサム）。

　社会の幸福は、1人1人の幸福の集合体であり、1人1人の幸福は、「自由」であることが基本で、人はみな平等です。「平等」とは、人は全て対等な個人であって、国家は、誰でも等しく扱う「形式的平等」を意味します。国家はできる限り介入を控え、あとは、対等な個人の自由競争に委ねます。すなわち各人の幸福追求に委ねておきます。競争の結果、努力をした者がその努力に応じて成果を得ることを保障します（私有財産制）。この結果、経済が発展し、良い

商品やサービスが生まれ、個人が豊かとなり、社会全体の幸福も増大します（資本主義）。良いルール（法）とは、個人の自由を尊重し、自由競争に委ね、国家があまり介入しないものです。

●公正重視

　自由とは、意志の自律のことをいい、道徳法則に従う行為に真の自由があることをいいます。「正義＝正しい行為」とは、定言命法、道徳法則に従った行為で、「公正」であることです（カント）。「公正」とは、偏りがなく正しいことであり、「公平」を実現することです。例えば、困っている人、苦しんでいる人、弱い人を助けること、貧しい人、社会的弱者、病気の人を放置しないことです。**「公平」とは、実質的な平等です。平等とは、形式的平等ではなく、「実質的な平等」であることを意味します。**実質的平等を確保するためには、人それぞれの差異をふまえた対応がとられるべきことになります。例えば、身体が不自由な人には身体が不自由であることを前提に、対応がとられる必要があります（バリアフリー）。それは、自由競争によって生じた格差を是正することでもあります（格差原理：ロールズ）。格差を是正するためには、人の置かれた状況に配慮し、潜在能力が発揮できるように教育の充実や衛生を確保することが必要です（セン）。すなわち、どのような人も幸福追求の機会を与えられることです。良いルール（法）とは、格差を是正し、弱い立場の人に配慮したものです。国家の役割は、「実質的な平等（＝公正）」を確保することであり、社会福祉国家（生存権、教育を受ける権利の保障）が求められます（修正資本主義）。

形式的平等を前提とした自由な競争

勝つ人　　　　負ける人（力負けして地位や所得が得られなかった人々）
　　　　　　　格差の放置は「公正」ではない。
　　　　　　　国家の介入によって「実質的平等」をはかる。
　　　　　　　「公正な社会」とは、どのような人であっても、
　　　　　　　等しく自分の目標や理想を追求できる社会のこと

幸福重視：功利主義	公正重視：義務論、格差原理
ベンサム、ミル、アダム＝スミス、フリードマン	カント、ロールズ、セン、ケインズ
正義＝正しい行為とは、幸福を最大化させること	正義＝正しい行為とは、公正であること
自由な競争に委ねる（私有財産制の保障）能力や努力の成果を保障する	自由競争で負けた人、社会的弱者を放置しない（格差是正）貧しい人、不遇な人を助ける
平等とは、形式的平等（機会の平等）	平等とは、実質的平等（結果の平等）
水平的公平（みんな同じ負担）	垂直的公平（高所得者により多くの負担）
国家（政府）の介入は抑制的	国家（政府）の介入は格差是正のために積極的
効率性重視	公平性重視
市場メカニズムにできるだけ任せる	市場メカニズムに頼らず、政策を実施する
規制しない・規制をゆるめる（規制緩和）	規制をする・規制を強くする（規制強化）
社会保障は消極的（低福祉・低負担）	社会保障は積極的（高福祉・高負担）
自由放任主義・新自由主義	修正資本主義
夜警国家・消極国家	社会福祉国家・積極国家
「小さな政府」	「大きな政府」

●アリストテレスが考えた正義

　アリストテレスは、正義について、法を守り、共同体の共通善を実現するという広義の正義である全体的正義と、人々の間に公正が成立するという狭義の正義である部分的正義に大別しました。そのうえで、部分的正義を、名誉や財貨などを各人の功績や働きに応じて配分する配分的正義と、裁判や取引などで当事者たちの利害・得失が均等になるように調整する調整的正義の2つに分けました。

正義 {
全体的正義　法を守り、共同体の共通善を実現する
部分的正義 {
配分的正義　形式的平等　私有財産制
調整的正義　刑罰や損害賠償
}
}

memo

第  章

公共的な空間における
基本的原理

ここでは、公共的な空間における基本的な原理である個人の尊重、民主主義、法の支配、立憲主義、人権保障について学びます。

18 公共的な空間における協働

利害対立の調整と国家の役割

　社会には自分とは異なる他者が存在する以上、意見や利害の対立が生じます。自己の利益を優先する個人同士だと、互いに足を引っ張り合うことによって協働の利益を損ない、お互いにとって不幸な結果になります。いわゆる「囚人のジレンマ」といわれる状況です。このようなジレンマを脱し、協働関係をつくり、全ての人にとって望ましい状況をつくるためには、どうすればいいのでしょうか。

「囚人のジレンマ」という話を例にしてみましょう。

　2人にかけられた容疑。彼らは自白すべきか？

　「ある国で、軽い犯罪を行い捕まっている囚人Aと囚人Bは、別の重大な犯罪にも関与しているようだ。しかしまだ証拠不足で、2人の自白が捜査の鍵となる。そこで、検察官は2人に対して個別に、以下の条件を提示した。

・2人とも黙秘を続けたら、軽い犯罪によりそれぞれ懲役3年となる。
・どちらか片方だけが自白したら、自白した側は捜査協力と引き換えに懲役1年となるが、黙秘した側は重犯罪を行い反省もないため懲役10年となる。
・2人とも自白したら、重犯罪を共に行ったとしてそれぞれ懲役7年となる。
　もし、あなたが囚人Aだったとしたら自白するだろうか？黙秘するだろうか？

　客観的に見れば、お互いに協力して黙秘するのが一番よい結果となる。しかし、自分の利益を考えて自白してしまう。しかし相手も同じように考えて自白する。そして懲役7年となる・・・。」

　お互いに信頼し合えない状態で、個人が合理的に選んだ行動が、結果として双方にとって望ましくない選択になってしまう状況を「囚人のジレンマ」といいます。「囚人のジレンマ」から、社会全体にとって最善の選択をするには、協働の姿勢が重要であることがわかります。

このような囚人のジレンマ：「自分の利益を最優先に考える人々が、その利益を追求するあまり協働の利益を失ってしまう状況」を克服するにはどのようにすればいいのでしょうか。

１つは、「市場による調整」です。市場では、個人の所有する物に価格がつけられ、需要と供給のバランスにより利害が調整されます。**市場を通じて、自分の利益を最優先する者は、市場から受け入れられず、排斥されていきます。結果として、協働関係が進むのです。**しかし、市場には効率性と社会全体の公平性とがトレードオフの関係となって、効率性重視のため、公平性を損なう可能性もあります。

もう１つは、「国家による調整」です。国家は、法の強制力を用いて、税を通じて所得の再配分を行って、公平かつ効率的な協働の利益の分配をめざします。市場を通じては提供されにくい防衛、教育、公衆衛生などの「公共財」は、国家が介入して提供されます。

自分の利益を考えて行動していること（利益を得るために協働しないインセンティブがある）をふまえて、協働するためのインセンティブを与えるという方法もあります。例えば、商店街の自転車駐輪を防止するため、「駐輪禁止場所に駐輪をしたら撤去する」「商店街の入り口に無料の駐車場を設置する」ということで、駐輪しないという動機付けを図るのがその例です。

▼図　囚人のジレンマ

共犯者の選択 / 自らの選択	共犯者が自白した場合（裏切る）	共犯者が黙秘した場合（協働する）
自白する（裏切る）	自分も共犯者も懲役7年	自分は懲役1年、共犯者は懲役10年
黙秘する（協働する）	自分は懲役10年、共犯者は懲役1年	自分も共犯者も懲役3年

「共犯者は信頼できないな。おそらく自白するだろう。そうしたら、自分が黙秘すると10年くらってしまう。だったら自白しよう。運がよければ相手が黙秘してくれて自分は1年ですむし。」

⑲ 個人の尊重

1人の人間を大切にする

　公共的空間で、出発点となる考え方は、「個人の尊重」です。それは、自分だけの尊重ではなく、他者も含めた相互尊重です。私たちが生きる現代社会は、さまざまな個性や考え方をもつ個人の協働関係によって成り立っています。こうした協働関係が成り立つためには、その根底に、例え自分とは考え方が異なる人間同士であったとしても、互いの人格を認め、個人として尊重し合うという考え方が共有されていなければなりません。

日本国憲法第13条は「全て国民は、個人として尊重される」としています。憲法の究極的な目的は、個人の尊重を守ることにあります。個人の尊重とは何でしょうか。

　個人の尊重とは、1人1人の人間を、自立した人格的存在として尊重する、ということです。それは、それぞれがそれぞれに固有の価値をもっているという認識に立って、それぞれの人がもっているそれぞれの価値を等しく認め合っていこう、というものです。人はみな、価値観、性格、外見、生き方などはそれぞれ異なっている存在です。違う存在だからこそ、たった1人であっても、その人の価値は、「代わり」のきかない、かけがえのないものとして尊重されなければならない、というものです。

　個人の尊重とは、1人の「人」として尊重されるということです。その反対は、個人が、国家や誰かの道具や手段とされることです。人は「誰かの役に立つための道具」ではなく、それぞれの人間に存在する意味があり、その存在自体が目的です。人権を侵害する行為とは、人を人として尊重せず、単なる道具や手段として扱うことを意味します。カントが述べた「人は『手段』ではなく、『目的』として扱うべし」という理念につながります。

　憲法の基本原理である国民主権や平和主義、民主主義や立憲主義、表現の自由や信教の自由、平等権、生存権などの基本的人権の保障は、人が人として尊重されるため、個人の尊重のために必要不可欠なものということができます。憲法がとる権力分立を前提にした統治機構（権力機関のしくみ）についても、

権力の濫用を防ぎ、権力を適切に行使させて国民の基本的人権を保障しようとするもので、究極的には「個人の尊重」を守るためのシステムです。

　「個人の尊重」が究極の目的で、国民主権、民主主義や立憲主義、基本的人権の保障、平和主義、権力分立、議院内閣制、地方自治といったものは、「個人の尊重」を守るための手段なのです。

● 日本国憲法のしくみ～個人の尊重を守るために

　日本国憲法が、個人の尊重を守るために、どのようなしくみになっているのか、まとめてみましょう。

①主権は国民にあるとしました**➡国民主権**

②その主権者たる国民が、権力を行使する者に、権力の行使を委託しました**➡社会契約説**

③主権者たる国民が、権力行使のルールを定めた憲法をつくりました**➡憲法制定権力**

④したがって、権力者は、憲法にしたがって権力行使をしなければなりません**➡立憲主義**
　委託者である国民の利益を考えて、国民のために権力行使をしなければならないのです。

⑤権力の暴走や濫用を防ぐために、権力を立法権、行政権、司法権と分立させて相互に抑制させます**➡権力分立**

⑥権力者は、国民の選挙で選ばれた代表者がなることにしました**➡民主主義・代表民主制**
　その代表者が定めた法律に従って、行政権や司法権の権力行使がなされます。

⑦権力者は、憲法で定めた国民の人権を侵害してはなりません**➡基本的人権の尊重**

⑧そして、権力者は、人権侵害の最たるものである戦争を起こしてはなりません**➡平和主義**

⑨権力者は、憲法に違反する権力行使をしてはならないし、違反の抜け道のために、安易に憲法を変えてはならないとしました**➡硬性憲法**

これが、日本国憲法が「個人の尊重」を守るために採用した国の仕組みです。

民主主義とは

みんなのことは、みんなで決める

　私たちの社会では、社会全体のことについて決めるための政治の仕組みとして「民主主義」が採用されています。なぜ、「民主主義」が採用されているのでしょうか。そもそも「民主主義」とは何でしょうか。多数決のことでしょうか。

民主主義とは、自分たちの社会生活を支えるルールやしくみをつくる決定を「私たち自身が決める」ことをいいます。アメリカのリーンカーン大統領がいった「**人民の人民による人民のための政治**」という言葉が、民主主義の特徴をよく表しています。

　「政治」とは、私たちの社会全体に関わるルールや方針を決めることをいいます。社会には、考え方や利害が異なる様々な人がいます。私たちは、学校や会社、サークル等様々な集団に属しています。集団では、ルールや方針を決める必要があります。ルールや方針の決め方には、特定の人が決めるやり方と集団の構成員、すなわち「私たち」が関わる民主主義があります。日本は、政治システムとして民主主義を採用しています。

　民主主義が良い点は、自らが関与して決めたことであることから、納得しやすいということ、守ろうという意識が高まること、利害が異なる様々な人々の意見が出されたうえで決めたことで、構成員にとって、良い決定になりやすいことです。特定の人（例えば王）が決めるルールでは、特定の人に都合の良いルール（王が増税を決められる）や理由もなく構成員の自由を奪うルール（王を批判してはならない）になる恐れもあります。

　国家の構成員である「私たち」がルールを決めることによって、国家権力の濫用を抑制し、人権を守ることができやすくなるのです。**民主主義の目的は、人権を保障し、個人の尊重を守ることにあります。**

●「多数決」をすれば民主主義なのか

　民主主義といえば、多数決のことと思う方もいるでしょう。しかし、よく話

し合いもせずに安易に多数決で決めてしまうこと、多数派が「数の力」で押し切ってしまうことは、多数派による少数派への抑圧を招きます。フランス政治思想家・法律家のトックビルは、これを「多数者の専制」と呼びました。これでは、適切に民意を政治に反映することができません。少数派も含めて民意を反映させるためには、よく話し合いをすること、すなわち「熟議」が重要です。この熟議で大切なことは、自らの意見には他の人々が納得できる理由をつけること（正当化）、そしてほかの人々があげる理由に納得したならば自分の意見を柔軟に変えること（反省性）、自分が多数派の立場である場合には、少数派の意見と理由に耳を傾けること（傾聴）が重要です。**「熟議」は、多数決のような「数の力」ではなく、「理由の力」によって物事を決定するものです。**

● 民主主義は万能か

　私たちの社会は、民主主義を採用していますが、民主主義は万能ではありません。決定するための時間がかかること、多数者の利益が優先され、少数派の利害がないがしろになりやすいという問題もあります。イギリスの元首相チャーチルは「民主主義は最悪の政治といえる。これまで試みられてきた、民主主義以外のすべての政治体制を除けばだが」といっています。また民主主義は、ナチス・ヒトラーのように、独裁者を生む危険性もあります。民主政治の中で、私たちはどうあるべきでしょうか。

● 直接民主制が最良なのか

　民主主義には、私たちが直接に決定する直接民主制と私たちが選んだ代表たちが決定を行う間接民主制（代表民主制）があります。「直接民主制」が理想なのですが、規模が大きな集団の決定（例えば国家）では、構成員が、直接決定に関与することが困難だから、やむを得ず「間接民主制」をとるという感覚もあるかも知れません。

　しかし、「直接民主制」は、ダイレクトに意見を反映できるという利点がある一方、十分な話し合いを経ないで決定されてしまうこと、悪質なリーダーの情報操作や巧みな宣伝活動によって多くの国民が惑わされたりして、リーダーによって都合のよい決定がなされてしまう危険性があります。

　間接民主制では、代表者（議員・政治家）が、自ら理性と判断力を働かせ、さまざまな要求を整理することを通じて、国民全体の意思を代行することを期待されています。

立憲主義

憲法によって国家権力を縛る

　民主主義は、私たちの社会の政治の重要なしくみですが、民主主義だけでは、権力の濫用を防ぎ、個人の尊重や基本的人権を守るために十分ではありません。なぜなら、民主的な基盤をもつ権力であっても濫用され、人権を侵害する恐れがあるからです。そのような権力がもつ危険性を想定し、憲法で権力濫用に歯止めをかける考え方が「立憲主義」です。

立憲主義とは何でしょうか。集団で、多数決をすれば、どのようなルールも決めることができるのでしょうか。例えば、クラスの掃除当番を、誰か 1 人だけに押しつけることはどうでしょうか。国会で「キリスト教を信じてはならない」という法律を定めることはどうでしょうか。多数派が強引に数の力で押し切ることが可能ならば、そのようなルールも作られてしまいます。しかし、特定の人だけに不利益を与えることや、私的なことで個人の判断に委ねられるべきことは、「みんなで決める」ことは許されません。民主主義だけでは、人権を守るために不十分なのです。

　民主主義的な基盤をもつ権力であっても、権力である以上、濫用され、人権が侵害される危険性があります。権力をもつ者が人である以上、誤る可能性はあります。そして、歴史的に見ても、ナチス・ドイツのヒトラーのように国民の支持を受け、民主的な選挙から選ばれた者であっても、その後、暴走し、自国民や他国民の人権を侵害した例は、いくつもあるのです。そのようなことにならないために、**あらかじめ憲法において、侵害してはならない人権を明記し、権力を分散・抑制させ、国家権力のしくみや権力行使のルールを定めて国家権力を縛り、権力の濫用を防ぐのです。**その目的は、国民の人権、個人の尊重を守ることにあります。

立憲主義とは、権力に、憲法という枠をはめ、その枠の中で、政治（権力行使）が行われるようにするものです。憲法は「権力を縛るもの」と表現してもいいでしょう。

　国王といった専制君主ならいざ知らず、国民から民主的に選ばれた代表者であれば、適切に権力行使をするのではと思われるかも知れません。しかしながら、民主主義政治は多数者の意思によって行われますが、多数者の意思は不正確な情報やムードに流され、誤った判断を行う危険性があります。多数者の利益を実現するために、特定の個人や少数者に多大な犠牲をはらう危険性もあります。

　民主主義においても、多数者が誤った判断をしないように、少数者の権利を侵害しないように憲法で縛りをかけておく必要があるのです。このように、**立憲主義は、民主主義を監視し、ときに抑制するものでもあり、民主主義とは緊張関係にあるといえます。**

● 立憲主義は民主主義を支える

　一方で、立憲主義は民主主義を支えるものでもあります。それは、民主主義の基礎となる表現の自由を守るということです。表現の自由は、民主主義を機能させるために、とても重要なものです。人々は、情報を基に判断します。しかし、偏った情報では正しい判断ができません。権力者を批判する言論が自由でなければ、権力者によって、都合の良い権力者の政治を支持する情報だけ流されることになります（プロパガンダ）。専制権力者は、批判を嫌がるため、まずは国民の表現の自由を侵害しようとします（日本で戦時中は戦争批判表現は許されませんでした）。そうならないように、あらかじめ憲法で、表現の自由を侵害してはならないと、権力にクギを刺しておくのです。憲法は、表現の自由に対する規制については、特に厳しい目を向けます。

　立憲主義は、民主主義の基盤となる表現の自由を守るものであり、その意味で、民主主義を支えるものでもあります。 民主主義と立憲主義は、基本的人権・個人の尊重を守るための車の両輪のようなものと考えていいでしょう。

● 法の支配

　立憲主義の原型は法の支配です。法の支配とは、どのような権力者や支配者であっても法に拘束されるという考え方です。法が、権力者の上に立ちます。権力者が一番上に立つ「人の支配」と対置されます。**「法の支配」の目的は、権力者の恣意的な支配を排除して、国民の権利・自由を守ろうとするものです。**

1215 年イギリスのマグナ・カルタがその出発点です。国王であっても、好き勝手に課税することは許されないとしたのです。1689 年名誉革命の際に採択された「権利章典」で法の支配の原理が明文化されました。

その後、「法の支配」は、国の仕組みの重要な部分については憲法としてあらかじめ定めておき、憲法に基づいて政治を行うという「立憲主義」に発展しました。ロックやルソーの思想（社会契約説）やアメリカ独立、フランス革命などの市民革命の中で、国民の人権保障や権力分立を要素としたものに発展していきました。

● 社会契約説〜民主主義・立憲主義の基礎となる考え方

国家権力に枠をはめて、権力を縛り、国民の権利や自由を守ることを目的とした憲法を「立憲的意味の憲法」といいますが、この立憲的意味の憲法は、近代市民国家のスタンダードなものです。ヨーロッパでは 16 世紀ころから、主権国家が形成され、国王に権力が集中しました。この絶対王政を権威付けるために、国王の権力は神から与えられた絶対不可侵のものであるとする「王権神授説」が唱えられました。権力が神から授けられたとしたら、絶対的で、抵抗できません。しかし、国王の好き勝手に税金をとられたくないという要請が高まりました。

この王権神授説に対し、**国王の権力は、元来は国民が有していた自然権の委託を基礎にするという社会契約説**がホッブズ、ロック、ルソーによって唱えられました。この社会契約説の考え方によって、民主主義や立憲主義をふまえた近代憲法がつくられていきました。

● ホッブズ「リバイアサン」

ホッブズは、人間は自然状態では、自己保存の欲求から「万人の万人に対する闘争」になるため、これを回避するために、国民は自然権を国王に譲渡し、国王に絶対服従するものとし、その代わりに、国王は国民を保護するという社会契約を結ぶと考えました。

国家による統治権力は、神によるものではなく、国民の自然権を出発点としていることは大きな転換でした。しかし、国民は、自然権を国王に譲渡した後は、絶対服従するものとしたため、結果として、国王の専制政治を擁護するものとなりました。

●ロック「市民政府二論」

　イギリスのロックも国民に自然権があることを前提とし、「人間は自然状態では理性を働かせ、自由、平等、平和を保っているが、時として争いが起きる、その争いを避けるために、自然権の一部を、代表者（議会）に託すという社会契約を結ぶ」としました。そして、これがポイントなのですが、政府が国民の自然権を侵害した場合、国民は政府を改廃する権利（抵抗権、革命権）を行使できるとした点に、ホッブズとの大きな違いがあります。**自然権の一部を託しても、国王は、委託者たる国民のために権力行使をすべきであり、国王の好き勝手にはさせないぞ、としているのです。**

　ロックの社会契約説は、市民の代表者による政治（議会制民主主義）を理論づけ、名誉革命を正当化しました。そして、アメリカ独立宣言に大きな影響を与えました。

●ルソー「社会契約論」

　フランスのルソーは、「人間は、自然状態では孤立しているが、自由で平等な存在である。集団を形成し、協力関係を結ぶために自然権を一般意思に譲渡する。一般意思とは、国民の合意により形成される共同体の意思であり、直接民主制で示される。」と唱え、代議制を批判し、直接民主制を主張しました。ルソーの思想は、フランス革命に大きな影響を与えました。

ちょっとウンチク

1776年　アメリカ独立宣言（抜粋）

　「われわれは、自明の真理として、すべての人は平等に創られ、創造主によって、一定の奪いがたい天賦の権利を付与され、その中に生命、自由および幸福の追求の含まれることを信ずる。また、これらの権利を確保するために人類の間に政府が組織されたこと、そしてその正当な権利は被治者の同意に由来するものであることを信ずる。そしていかなる政治の形体といえども、もしこれらの目的を毀損するものとなった場合には、人民はそれを改廃し、かれらの安全と幸福とをもたらすべしと認められる主義を基礎とし、また権限の機構をもつ、新たな政府を組織する権利を有することを信ずる。」

●権力分立

　立憲主義の重要な要素として、「権力分立」があります。民主主義のもと、国

民の意思に基づいて権力が組織されるとしても、その権力が1人の人間なり1つの機関に集中すれば、権力が濫用され、国民の自由や権利が侵害される危険があります。そこで、国民の自由や権利を守るために権力を分散させ、さらに相互チェックをはかるのです。

　すなわち、**権力分立とは、権力者がみだりに権力を行使することを防ぎ、国民の自由や権利を守るために、政治権力をいくつかの機関に分散させ、互いに権力の抑制と均衡（チェックアンドバランス）をはかる考え方です**。イギリスのロックは、法を制定する者と法を執行する者を分立しなければならないと主張しました。さらにフランスのモンテスキューは「法の精神」で、絶対王政を批判して、立法権・執行権（行政権）・裁判権（司法権）に区別した三権分立論を説きました。

思考が現実化した「社会契約説」

　社会契約説は、実際に国民と政府との間で、社会契約を交わしたと実証しているわけではなく、「そのように考えたらいいのでは」という一種の思考実験でした。しかし、自由を求める市民たちは、「それっていい考え方じゃない！」と採用し、革命後に、「国民と政府が社会契約を交わしたことにする」とアメリカ独立宣言やフランス人権宣言に、現実化させたのです。ロックやルソーの思考実験が近代市民国家のしくみを創ったと思うと、実にすごいことだなと思います。

　では、立憲主義は、日本国憲法の中でどのように反映されているのでしょうか。

①憲法の最高法規性〜憲法に反する法律は無効

　端的に立憲主義が表れているのは、憲法に違反する法律は無効となると定めた憲法第98条です。

　「第98条1項　この憲法は、国の最高法規であって、その条規に反する法律、命令、詔勅及び国務に関するその他の行為の全部又は一部は、その効力を有しない。」

　つまり、国会の多数決で決められた法律であっても憲法に反することは許されず、無効となってしまうのです。

②国会議員、公務員の憲法尊重擁護義務

　憲法が、国民ではなく、権力者を縛るものであることが、よく表れているのは、憲法99条の憲法尊重擁護義務です。ここで、憲法を尊重し擁護する義務を負う主体は、国会議員や公務員であり、国民は入っていません。

③憲法が最高法規である根拠〜基本的人権を保障する規定

　憲法が、法律を上回る最高法規である実質的な根拠は、「侵すことのできない永久の権利」である基本的人権を保障したものだからです。

　「第97条　この憲法が日本国民に保障する基本的人権は、人類の多年にわたる自由獲得の努力の成果であつて、これらの権利は、過去幾多の試練に堪へ、現在及び将来の国民に対し、侵すことのできない永久の権利として信託されたものである。」

④違憲審査制

　憲法が最高法規であることの実効性をもたせるために、裁判所に法律の違憲審査権を与えました（憲法第81条：違憲審査制）。この制度によって、国会は、憲法に反する法律をつくらないようにと意識が働きます。もっとも、日本の違憲審査制は、何らかの具体的な訴訟に基づいて行われ、抽象的に法令の違憲審査をすることはありません。

⑤硬性憲法

　憲法の改正は、各議院の総議員の3分の2以上の賛成による国会発議と国民投票で過半数の承認が必要で、法律よりも改正のハードルはかなり高くなっています（第96条1項）。もし、憲法を容易に改正できるとすると、そのときの権力者（多数派）が、憲法を「邪魔だな」と思えば、憲法に従わずに、安易に憲法の方を変えてしまうおそれがあります。それでは「憲法によって国家権力を縛る」という憲法の機能が果たせません。**改正のハードルを高くしているのは、「立憲主義」を機能させるためといえます。**

22 人権保障の意義と展開

人権の種類と特徴

　民主主義と立憲主義の究極の目的は、1人1人が個人として尊重され、その人権が保障されることにあります。人権とは、人が誰でも生まれながらにもつ権利ですが、歴史的には、国家より侵害され続け、長年の努力によって獲得されたものでした。人権には、どのようなものがあるのでしょうか。そして、その特徴はなんでしょうか。

人権とは、人は誰でも生まれながらに有しているとされる権利（自然権）をいいます。

　世界人権宣言では「すべての人間は、生まれながらにして自由であり、かつ、尊厳と権利について平等である」（第1条）と記されています。「人間の尊厳」の原理とは、どの個人も、人間であるというただそれだけで尊重されるべきであるという意味です。**人は、人種、民族、信条、宗教、性別と多種多様ですが、誰もが「人として」尊重される存在です。**人権保障には、憲法が重要な役割を果たします。

● 人権の種類と展開

　人権には、自由権、参政権、社会権、そしてプライバシー権等の新しい人権があります。

　歴史的には、財産権などの自由権からはじまり、自由権の保障によって資本主義経済が発展すると、その発展による貧富の差拡大等の不都合を受けて社会権や参政権が生まれました。そして環境権やプライバシー権等の新しい人権へと広がりを見せています。

　自由権とは、人が国家権力による不当な介入を受けないという権利で、「国家からの自由」と表現されます。自由には、精神の自由、身体の自由、経済の自由があります。絶対王政による自由の侵害に苦しんでいた市民は、市民革命によって絶対王政を倒し、自由権を勝ち取りました。国家は、国民生活に干渉しない夜警国家が望まれます。

参政権とは、政治に参加する権利で、選挙権がその代表的なものです。市民革命は、「財産と教養」をもつ市民が主に行ったため、その後の選挙権も財産と教養をもつ市民階級に限られていました（制限選挙）。しかし、資本主義経済の発展によって労働者が増加し、また労働者の貧困などの社会問題が発生しました。労働者らは、選挙権獲得を求めて運動し、その結果、性別や財産によって制限されない普通選挙が少しずつ認められ、参政権が確立されていきました。

　社会権とは、人が、人間らしい生活を保障することを国家に求めることができる権利です。国家の行為を要求するものであり、「国家による自由」と言われます。産業革命、市民革命によって、資本主義経済が発展し、自由競争のもたらす貧富の差の拡大と、景気変動による不況、失業の問題が発生しました。生活に苦しむ人々は、国家に対し、貧困や失業の解決に向けて行動するように求めました。これが社会権です。1919年ドイツのワイマール憲法で、初めて社会権が保障されました。社会権の登場によって、国家は「社会福祉国家」に変化します。

　そして近年では、社会の変化の中で、環境権やプライバシー権などの新しい人権も唱えられるようになっています。

ちょっとウンチク

初めて社会権を保障したドイツのワイマール憲法（1919年）

第１５１条（1）経済生活の秩序は、すべての者に人間たるに値する生活を保障する目的をもつ正義の原則に適合しなければならない。

第１５３条（1）所有権は、憲法によって保障される。その内容および限界は、法律によって明らかにされる。

第１５９条（1）労働条件および経済条件を維持し、かつ、改善するための団結の自由は、各人およびすべての職業について、保障される。

▼ドイツ議会

23 公共的空間の基本的原理と日本国憲法

日本国憲法が保障しているものとは

　公共的空間の基本的原理である個人の尊重や民主主義、立憲主義、人権保障は、日本国憲法の中にどのように取り込まれているのでしょうか。

日本国憲法は、公共的な空間における基本的原理を実現するために、具体的な内容を定めています。

● 日本国憲法の三大原理

　日本国憲法は、立憲主義の思想を背景に、国民主権・基本的人権の尊重・平和主義を三大基本原理としています。

● 国民主権

　日本国憲法は、国民主権を明記しています（前文・第一条）。国民主権とは、国の政治の在り方を最終的に決定する権力（主権）を国民がもつという考え方です。主権を君主が持つ君主主権と対置されます。国の政治のしくみや権力行使の方法は、憲法によって定められていますので、国民主権とは、「憲法制定権力」が国民にあることを意味します。憲法というのは、国民が、権力行使を政府に委託するときの「契約書」であり、「権力の取り扱い説明書」であり、国家権力は、この憲法に従って、適切な権力行使をしなければならないというものです。

　このように、**国民主権とは、国民が権力行使を国家に委託する際に、「憲法」を定めた主人であるという考え方を出発点にして、国家権力の濫用を防ごうとする理念なのです。**

● 平等権

　１人１人の人間は、誰もが生まれながらにして自由であり、それぞれが等しく尊厳を持つ存在です。それは、人として平等であることを意味します。もし、

自分が、人種や性別で差別された場合、自らの尊厳が傷つけられたことを痛感するでしょう。個人の尊重は、差別や偏見がないこと、平等であることが前提になります。

　日本国憲法第14条は、法の下の平等を保障し、「人種、信条、性別、社会的身分又は門地」による差別の禁止を明記し、憲法第24条では、家族生活における両性の本質的平等を保障しています。

　平等は、もともとは国家が、個人や属性に関わらず、すべての人を同じように扱う形式的平等（機会の平等）を意味していました。しかし、貧富の差が生まれ、生存権の保障が必要になると国家が、貧富の差などを解消すべき、積極的に介入して平等を実現する実質的平等（結果の平等）も重視されるようになりました。現在では、積極的に格差を是正するための措置（ポジティブアクション）もとられるようになっています。

▼国民と憲法と国家権力

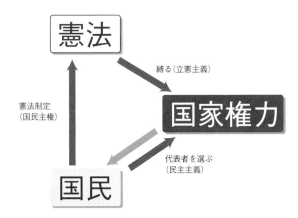

憲法

縛る（立憲主義）

国家権力

憲法制定
（国民主権）

代表者を選ぶ
（民主主義）

国民

●男女格差是正のために

　男性も女性も、社会の対等な構成員として、自らの意思によって社会のあらゆる分野に参画する機会が確保され、等しく政治的、経済的、社会的、文化的な利益を享受することができ、かつともに責任を担うべき社会である「男女共同参画社会」をめざしています。それは、男女平等を確保し、個を尊重するためでもありますが、社会全体の利益の視点からも見ても、社会の問題解決のためには、さまざまな立場の人々が平等に社会に参画し、協働することが重要だからです。

日本では、国連で採択された「女子差別撤廃条約」に批准するため、1985年に「男女雇用機会均等法」を成立させ、1999年には「男女共同参画社会基本法」を成立させましたが、2019年の日本のジェンダー・ギャップ指数（経済、政治、教育、健康の4分野で女性の地位を分析して順位を定めたもの）は、先進国の中では最低水準でした。現在もなお、社会における男女間格差は依然として大きく、固定的な「性別役割分担意識」に基づく制約や差別が根強く残っています。

　あらゆる人が活躍できる社会のために、ポジティブアクションとしてのクオータ制（議員や管理職の定員に対して、一定の女性枠を割り当て、歴史的に差別されている女性に対し優遇措置をとること）やジェンダーの固定観念に捉われない環境づくりが行われています。

ちょっとウンチク

積極的是正措置（ポジティブアクション）は必要か

　「X私立大学は、女性研究者を育てる目的で、理学部の入試に女子枠（一定の女性合格者をだすために、女性だけを合格させる特別枠を設定するというもの）を設けると発表しました。あなたはこの特別枠に賛成ですか、反対ですか。また、もし女子枠という形ではなく、女子受験生には、10点加点する優遇措置（女性受験性が合格しやすくなる）をとるとした場合にはどうでしょうか。」形式的平等（機会の平等）の観点からすると、性別を根拠にして、一方の性だけを優遇するのは、正しくないことになります。しかし、現実の格差をふまえて、優遇措置を取ることは、実質的平等（結果の平等）を図り、格差を是正するものとして、公正な対応とも考えらえます。とはいえ、行き過ぎた優遇措置は、逆差別にもなりかねません。どのように考えれば良いのでしょうか。女性受験生、男性受験生、大学、国家の立場にたって考えてみましょう。

●自由権

　自由権とは、個人が国家権力による介入や束縛を受けずに自由に行動する権利です（国家からの自由）。自由権には、精神の自由、身体の自由、経済の自由に分けられます。

● 精神の自由
[思想・良心の自由（第19条)]

思想・良心の自由とは、内心でどのように思っても、国家に干渉されない自由をいいます。国家が、個人の主義や思想などを理由に個人を不利に取り扱ったり、思想を禁止したりすることは許されません。内心の問題は、他者の人権と衝突することはないので、絶対無制約となります。

[信教の自由（第 20 条）]

　信教の自由とは、個人は、どのような宗教を信仰してもよい自由をいいます。人はいかなる宗教的行為を強制されません。また、国家は特定の宗教団体を優遇したり、国家が宗教活動したりすることは、許されません（政教分離の原則）。かつて日本は神道と結びつき、それが他宗教への弾圧へとつながったという反省から生まれた信教の自由を守るための制度的保障です。

[表現の自由（第 21 条）]

　表現の自由とは、集会や結社、言論や出版など頭の中で考えたことを外部に表現する自由です。内心を外部に発表し、また発表された他者の思考に接することで、個人の精神や社会の文化は発展していきます。表現の自由の保障には、情報の受け手の立場から見た知る権利も含まれています。

　表現の自由には、民主制のプロセスの前提となる重要な人権として位置づけられています。国家権力を批判する表現の自由が禁止されて、権力に都合の良い情報だけ流されると、民主主義が機能しなくなり、権力の濫用が行われやすくなります。実際に、歴史上、権力者が戦争等の暴走をするときには、権力者にとって不都合な表現行為を厳しく規制・弾圧をしていました。

[学問の自由（第 23 条）]

　学問の自由とは、学問研究の自由、研究発表・教授の自由をいいます。かつて国家によって都合の悪い学問や研究が厳しい弾圧にあったことの反省から、保障されています。学問の自由には、大学が国家権力など外部の圧力や干渉を受けずに運営されるという「大学の自治」が含まれています。

● 身体（人身）の自由（第 31 条〜第 39 条）

　身体の自由とは、国家によってみだりに身体を拘束されたり、恣意的に罰せられたりすることのない自由をいいます。刑事手続において、不当な逮捕や誤った裁判が起こることが、身体の自由が侵害される典型的な場面であることから、憲法は、適正手続きの保障、遡及処罰の禁止・一事不再理、令状主義、黙秘権など刑事手続における被疑者被告人の身体の自由を保護するための規定を多数定めています。

● 経済の自由

　居住・移転の自由と職業選択の自由（第 22 条）及び財産権の保障、私有財産制の保障（第 29 条）は、経済の自由を定めています。

　財産権の保障は、市民革命のきっかけとなった権利で、これによって資本主義経済は発展しました。しかし、経済の自由は、貧富の格差を助長する傾向があるため、格差是正の政策的な見地、社会権の保障の観点から、精神の自由に比べて、幅広い制約が認められています。

　憲法が第 22 条 1 項で「何人も、公共の福祉に反しない限り、居住、移転及び職業選択の自由を有する。」第 29 条 2 項で「財産権の内容は、公共の福祉に適合するように、法律でこれを定める。」と「公共の福祉」による制約を明記しているのは、その主旨です。

● 社会権

　社会権とは、1 人 1 人の個人が国家に対し人間らしく生きることの保障を求める権利です。国家による積極的な行為によって実現されます（国家による自由）。生存権を中心に、教育を受ける権利、労働基本権が社会権です。

　生存権とは、人間の尊厳を実現するために、人間らしい生活を送ることができる権利、すなわち「健康で文化的な最低限度を営む権利」です。生存権を具体化する法律が、生活保護法です。

　憲法第 25 条 1 項で「すべて国民は、健康で文化的な最低限度の生活を営む権利を有する」と生存権を保障し、「国は、すべての生活部面について、社会福祉、社会保障及び公衆衛生の向上及び増進に努めなければならない」と国に社会保障政策の実施を義務づけています。

● 教育を受ける権利

　人間らしく生きるためには、教育を受けることが必要です。憲法第26条1項で「すべて国民は、法律の定めるところにより、その能力に応じて、等しく教育を受ける権利を有する」と教育を受ける権利が保障され、それを実現させるために、2項で、保護者に教育を受けさせる義務を負わせ、義務教育の無償を定めています。

● 労働基本権

　労働基本権は、憲法第27条で保障する「勤労権」と第28条で保障する団結権、団体交渉権、団体行動権の「労働三権」で構成されます。

● 参政権

　参政権とは、国民が政治決定に関与し、権利の実現をはかる権利をいい、選挙権がその中心になります（国家への自由）。代表者を選ぶという間接民主制的な参政権の他に、直接民主制的な参政権として、最高裁判所裁判官の国民審査（第79条）、地方特別法の住民投票（第95条）、憲法改正の国民投票（第96条）があります。

● 新しい人権

　憲法制定時には想定されていなかったのですが、社会の変化にともなって保護されるべきものとして認められた権利を「新しい人権」といいます。新しい人権は、憲法第13条の幸福追求権によって保障されるものです。

● プライバシー権

　プライバシー権とは、自らの個人情報をみだりに公開されない権利をいい、自己の情報をコントロールする権利も含まれます。プライバシー権は、よく表現の自由と衝突し、その調整が問題となります。

● 環境権

　環境権とは、良好な環境の下で生活する権利です。公害問題の深刻化や生活の変化などで、さまざまな環境問題が生じてきたことから主張されるようになりました。

● 自己決定権

自己決定権とは、個人が一定の私的な事柄について、権力その他から干渉されることなく自ら決定することができる権利です。特に、治療法や治療拒否など自己の生命・身体の処分や、妊娠・中絶など家族の形成・維持などの場面において問題となります。自己決定権を実質的に保障していくためには、インフォームド・コンセント（十分な説明に基づく同意）が重要となります。

▼日本の法制度の要「法務省」

法律は国の重要な
基礎になる

ちょっとウンチク

安楽死・尊厳死を認めるべきか

生命維持装置の出現は、末期患者の延命治療を可能にしました。そのような中で、医療の現場では、末期患者に対して安楽死（患者本人の意思に基づいて、薬物などを与えることにより死期を人為的に早めること）や尊厳死（患者本人の意思に基づいて、効果のない過剰な延命治療を打ち切って、自然な死を迎えさせること）を認めるべきかどうかが議論されています。自己決定権や人間の生き方、必要とされる医療とは何かという観点から、また、本人、家族、医師、国家の立場から、この問題を考えてみましょう。

24 人権と人権との調整

公共の福祉とは

　人権が保障されているからと、やりたい放題に何をしてもいいということではありません。例えば、表現の自由があるからといって、個人の知られたくない情報を暴露したり、深夜の住宅街で拡声器を使って主義主張を大声で訴えたりしていいわけでもありません。自分にも人権があるように、他者にも人権が保障されています。自分の人権と他者の人権とが衝突した場合、どのように考えればいいのでしょうか。

人権思想は、全ての人の尊厳と平等を前提にして成立したものです。したがって、人権保障は「他者の人の尊厳と平等に反しないかぎり」という限定が内在的に含まれています。人権というものが全ての人に平等に保障されるべきものである以上、他人の人権を侵害して自己の権利を貫き通すというようなことは、認められません。自分の人権が他人の人権と衝突するような場合には、相互の調整ということが必要になってきます。日本国憲法では、第12条、第13条で「公共の福祉」という表現で、人権が他者の人権との調整で制約を受けることを表しています。

▼日本全国にある地方・高等裁判所

三審制をとっている
日本の裁判制度

裁判所

ちょっとウンチク

ヘイトスピーチの規制は、表現の自由を侵害しないか

　ヘイトスピーチとは、特定の国籍や民族の人々に対して、一方的に排除しようとしたり、差別的な発言をしたりすることです。近年、日本でもヘイトスピーチが問題となり、2016年ヘイトスピーチ解消法が施行されました。ヘイトスピーチ解消法は、外国出身や子孫へのヘイトスピーチを許さないこと、ヘイトスピーチの問題について学校で教え、国や市町村が相談に乗れるようにすること、社会からヘイトスピーチによる差別がなくなるように努力するというものですが、罰則はありませんでした。2020年川崎市は、ヘイトスピーチについて全国初となる刑事罰を盛り込んだ差別禁止条例を制定しました。

　このような法律や条例は、憲法が保障する表現の自由を侵害しないでしょうか。表現の自由は、民主政治が健全に働く前提となる重要な人権です。また、権力が、表現方法ではなく、表現の内容それ自体を規制することは、権力にとって不都合な表現を恣意的に排除する危険性もあります。一方で、差別的発言は、個人の人格権を侵害するものです。両者の調整をどのように考えればいいのでしょうか。幸福や公正の視点もふまえて考えてみましょう。

ちょっとウンチク

考えてみよう　「忘れられる権利」は認められるべきか

　インターネットでは、誰でも簡単に、情報を手に入れることができます。以前は、時がたてば忘れられていたような古い情報であっても、ネット検索で手に入れることが可能です。一方で、自分の過去の行動で、他人に知られたくないものも、知られてしまう恐れも生じています。一定期間が経過した後は、犯罪歴等の知られたくない情報の削除を求める「忘れられる権利」は認められるのでしょうか。過去の犯罪歴のネット情報を削除することを求めた裁判がありました。

　2015年さいたま地裁は、「一度は逮捕歴を報道され社会に知られてしまった犯罪者といえども、人格権として私生活を尊重されるべき権利を有し、更生を妨げられない利益を有するのであるから … ある程度の期間が経過した後は過去の犯罪を社会から「忘れられる権利」を有する」と述べ、インターネット上における犯罪に関する情報の削除を容認しました。ところが、2017年1月最高裁判決では、「検索結果を削除できるのは、検索サービスの役割と、プライバシーを比べてみて、逮捕歴を公表しない利益が明らかに上回ったときは削除できる」として、原告の前科が、未成年者に対する性犯罪であり、事件からまた数年しか経っておらず、今なお公共の利害に関する事項であるとして削除を認めませんでした。表現の自由、知る権利とプライバシー権、人格権の衝突をどのように調整すればいいのでしょうか。

第 **4** 章

B【自立した主体としてよりよい社会の形成に参画する私たち〜民主政治と私たち〜】

　ここでは、自立した主体として、より良い社会の形成に参画するために、現代社会の諸課題にかかわるテーマを設定し、A「公共の扉」で身につけた選択・判断の手掛かりとなる考え方や「公共的な空間における基本的原理」などの「見方・考え方」を働かせて、テーマ学習に取り組みます。政治経済入門的な意味合いもあります。

25 私たちの民主政治

政治とは何だろう

　「政治」と聞くと、国政のことで、遠いところで行われているというイメージをもつかもしれません。しかし、「政治」とは、「私たち」がかかわる問題についてルールや政策を意思決定する活動のことで、会社や学校、クラス、クラブやサークルといった身近なところでも「政治」が行われています。

「政治」のやり方は、私たちがかかわる問題については、私たち（や私たちの代表者）が話し合って決めるという民主政治が基本になります。民主政治の反対は、特定の人が恣意的に支配される人のルールを決める専制政治です。国や地方公共団体の民主政治のかかわり方として、代表的なのは選挙における投票ですが、それだけではありません。政治家への請願や陳情、献金、寄付署名活動、集会・討論会やデモへの参加も含まれます。

これがポイント

「国民投票」は民意反映のためにベストな方法か

　主権者である国民が、直接多数決に参加する国民投票や住民投票は、民意が直接反映されて、良い方法なのではないでしょうか。例えば、消費税増税が問題になったとき、直接、投票して意見を述べたいと思う人もいるでしょう。

　確かに、選挙において代表者を選んだとしても、選んだ代表者が、問題となった論点について、自分が希望する方向で、動いてくれるとは限りません。また、安全保障についてはその議員の意見に賛同できても、経済政策については賛同できない場合もあるでしょう。

　このようなときに、特定の論点（例えば消費税を増税すべきか）について、自らの意見をダイレクトに反映できる国民投票は、良い制度のようにも思えます。間接民主制は、人の数が多いがゆえの次善の策で、一番いいのは、直接に、自らの意見を反映できる直接民主制だという考えもあるでしょう。

　しかし、国民投票にも問題点があります。必要であっても痛みをともなう判断ができない可能性があります。例えば、消費税を増税するか否かの国民投票を実施すれば、理性的によく検討すれば増税が必要な場合であっても、多くの国民は、「増税は嫌だ」と反対をするでしょう。

また、国民投票には、ポピュリズムが入り込みやすいリスクがあります。ポピュリズム（大衆迎合主義）とは、政治に関して理性的に判断する知的な市民よりも、情緒や感情によって態度を決める大衆を重視し、その支持を求める手法や政治活動のことです。国民に重要な決定を託されても、多くの国民にとっては問題の所在がよくわからないところに、わかりやすく誇張された形で利益や不利益を提示したりすると、国民の投票は特定の方向へ流されてしまう恐れがあります。

　さらに、国民投票では、社会の分断が起こる懸念が指摘されています。国民投票では、賛成か反対かの二択しか選択肢が存在しないため、少数派となった一方の意思はその政策にまったく反映されません。その結果、否決された政策に投票した国民は大きな不満を抱え、社会の分断が起こる懸念もあります。例えば、イギリスで 2016 年 EU 残留か離脱かの国民投票が行われましたが、結果として、離脱支持がわずかな差で多数となり、離脱決定となりました。しかし、この国民投票によって離脱派、残留派の分断を招き、その後のイギリス政治に大きな混乱をもたらしました。

▼スイスの州民集会

スイスの一部の地方公共団体では、直接民主制が取り入れられています。有権者たちは、さまざまな議案を挙手によって採決します。日本でもスイスのように、このような制度を取り入れることはどうでしょうか。

26 地方自治のしくみと役割

民主主義の学校

　私たちにとって身近な地方自治への参加は、民主政治の理念やしくみについて学ぶことにもなり、地方自治は「民主主義の学校」ともいわれます。地方自治は、国政とは異なる直接民主制的なしくみも採用されています。

地方自治

にとって最も重要な原則が地方自治の本旨（憲法第92条）です。地方自治の本旨とは、地方公共団体の事務が中央政府から独立して行われるという「団体自治」と、地域の政治はその地域の住民によって地方自治が運営されるという「住民自治」のことです

　地方自治は、住民の最低限度の生活水準を守る役割を担っています。都道府県や市町村という地方自治体が、学校・図書館・病院・上下水道・公園など、生活に不可欠な施設を作り、運営しています。かつては、政策や財源などの面で国に依存する傾向がありましたが、1999年地方分権一括法の成立によって、地方公共団体の事務は、国からの機関委任事務が廃止され、自治事務と法定受託事務に整理されたこと、また、補助金の削減、税源の地方への移譲、地方交付税の見直しの三位一体改革によって、地方独自の活動も増えています。

● 地方自治の特徴

　地方自治は、民主主義の学校と呼ばれています。地方自治への参加は、住民にとって身近な政治参加であり、地方自治から民主主義について学ぶことができるからです。

　日本の国政では、行政の長である内閣総理大臣は、国民の直接選挙ではなく、国会で選ばれますが（議院内閣制）、地方公共団体では、県知事や市区町村長などの首長は、住民の直接選挙で選ばれ、選挙で選ばれる議会とともに、「二元代表制」のしくみとなっています。そのため、議会と首長とが対立することも珍しくありません。

　地方自治では、条例の制定や改廃（イニシアチブ）、首長や議員その他の役員の解職請求（リコール）といった住民の直接請求権や具体的な政策の是非を

住民に問う住民投票（レファレンダム）といった国政にはない直接民主的な制度が設けられています。

「三割自治」

　地方公共団体は、従来は、中央からの地方交付税交付金や国庫支出金などに多く頼り、自主財源が３割程度しかないため、「三割自治」と呼ばれていました。また、中央政府が地方に代行させる機関委任事務の多さが問題となっていました。現在では、三位一体改革によって地方税などの自主財源が歳入の約５割程度となり、また機関委任事務が廃止されたことで、国と地方の関係に変化が見られます。

▼地方自治体の直接請求制度

住民の請求		必要な署名数	請求先	取り扱い
議会の解散請求		有権者の 1/3 以上*	選挙管理委員会	住民投票にかけ、過半数の同意があれば議会を解散
解職要求（リコール）	首長・議員の解職			住民投票にかけ、過半数の同意があれば失職
	副知事、副市町村長などの解職		首長	首長が議会にかけ（2/3 以上出席）、3/4 以上の同意があれば失職
条例の制定・改廃の請求（イニシアチブ）		有権者の 1/50 以上		首長が議会にかけ、結果を公表
監査の請求			監査委員	監査を実施し、結果を公表

* 有権者総数が多い自治体は必要な署名数に緩和措置がある。
「40 万人以上」＝（40 万×1/3）＋（40 万を超える人数×1/6）
「80 万人以上」＝（40 万×1/3）＋（40 万×1/6）＋（80 万を超える人数）×1/8

▼地方自治の本旨〜団体自治と住民自治

地方公共団体　←　国

国から独立「団体自治」
権力分立の観点

住民の意見の交換
「住民自治」
民主主義の観点

住民の意思の反映
「住民自治」民主主義の観点

住民

27 国会、内閣のしくみと役割

議院内閣制

国家権力が暴走して国民の権利や自由を不当に侵害することがないように、権力の濫用を防止するためのしくみが、憲法には定められています。そのうちの1つが「三権分立」で、立法権を持つ国会、行政権を持つ内閣、司法権を持つ裁判所が分れ、互いに抑制し合うようにしています。日本では「議院内閣制」を採用し、国家と内閣との関係は、密接なものとなっています。

国会は、国民主権の下、主権者である国民の代表者で構成される機関であることから、「国権の最高機関であつて、国の唯一の立法機関である」（憲法第41条）とされています。国会は、立法府として、法律を制定します。また、予算や条約締結の承認を行います。

日本では、内閣の存立要件を議会（議院）の信任であるとし、内閣は議会に対して連帯責任を負うとする「議院内閣制」を採用しています。そのあらわれとして、国会は、内閣総理大臣の指名（憲法第67条）、内閣不信任決議（衆議院のみ：憲法第69条）の権限を有します。議院内閣制の場合、国会と内閣の距離が近く、両者の抑制と均衡が働かない場合も少なくありません。

● なぜ、国民の代表者からなる国会で、法律を定めるのか

なぜ、国民の代表者からなる国会で、法律を定めるのでしょうか。これが、代表民主制といわれますが、どうしてそうなのでしょう。法律というのは、国民の行動指針であるとともに権力行使の根拠であり、権力行使のルールでもあります。国会がつくった法律が、行政権や司法権の権力行使をしばる意味合いもあります。例えば、刑法で、窃盗罪として、人の物を盗めば、10年以下の懲役か50万円以下の罰金に処すると定められています。そこで、裁判官は、公判で、被告人が窃盗の罪を犯した人と判断した場合には、10年以下の懲役から50万円以下の罰金とする必要があります。裁判官が「被告人の態度が悪い」と思って、窃盗で無期懲役や死刑にすることはできません。

刑事手続には、「罪刑法定主義」という「法律なければ刑罰なし」という原則があります。法律は、裁判官を縛って、「法律にないことをしても処罰されない」と国民の自由を守っている側面もあります。警察官が容疑者を逮捕し、検察官が起訴をし、裁判官が有罪判決をするプロセスも、刑事訴訟法といった法律の手続きに従ってする必要があり、警察官が好き勝手に逮捕したりはできません。法律は、権力者の権力行使をコントロールしているのです。

そして、法律は、国民の代表者が決めたことですから、民主的なコントロールが司法権の行使に働いています。その意味で、国民の代表者からなる国家で法律を定め、その法律の通りに権力行使をさせて、行政権や司法権の権力濫用を防止しているわけです。

課税の場面においても「租税法律主義」という原則があり、国家は、法律の定めがなければ課税することはできません。

▼日本国憲法における三権分立のしくみ

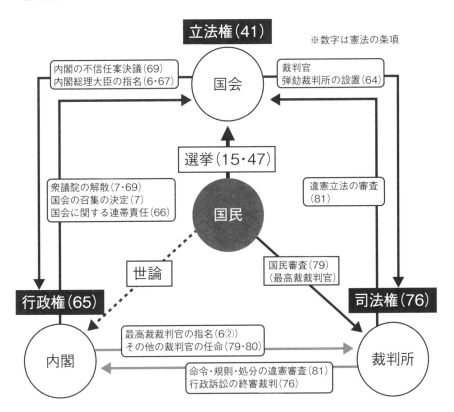

● 内閣のしくみと役割

　内閣とは、国会が定めた法律に基づいて政策を具体的に実行する行政権を持つ機関です。議院内閣制の下、内閣の政治的な基盤は国会にあり、内閣総理大臣（首相）は、国会で指名され、内閣総理大臣は、内閣の首長として、国務大臣を任命して内閣を組織します。

　衆議院で内閣不信任が可決された場合、内閣は総辞職するか１０日以内に衆議院を解散しなければなりません（憲法第69条）。解散については、憲法第7条にもとづいて、内閣総理大臣の判断で、衆議院を解散することもなされています（実際はこちらが、解散のほとんどです）。

　内閣は、省庁などを率いて法律の執行や外交関係の処理、予算編成などの行政権の行使を行い、政令（法律を適用するために必要な規則・命令）を発します。内閣のもとには、人事院や行政委員会が設置され、内閣から独立して実務を担当します。内閣の下に官僚が属する財務省、厚生労働省、国土交通省等、さまざまな省庁が設けられています。

▼立法の場

民主主義の象徴
ともいえる
国会議事堂

政治参加と選挙

民主政治を推進するために私たちはどのようにすべきか

　私たちが民主政治に参加する方法としては、「選挙」が主なものとなります。国政でも地方自治でも、選挙によって選ばれた代表が、議会などで法律や条例などをつくり、政治を行います。しかし、近年、選挙における投票率の低下、特に若年層の投票率の低さが問題となっています。投票率が低いと何が問題なのでしょうか。また、投票率を上げるためには、どうすればいいのでしょうか。

民主主義

を機能させるためには、民意を政治に反映させることが必要です。民意をできる限り、政治に反映させるために必要なことは何でしょうか。政治参加の方法には、選挙の他、請願、陳情、ロビイング、署名活動、討論会の参加、デモ、住民投票とさまざまな方法ありますが、やはり私たちにとっては選挙が重要です。私たちの民主政治では、代表民主制を採用し、選挙で議員や地方公共団体首長などの代表者を選挙によって選び、代表者らが議会などで審議し、私たちの生活にかかわる法律や条例などをつくるからです。

　選挙は、普通選挙、平等選挙、秘密選挙、直接選挙の4つの原則があります。普通選挙とは、成人が性別や納税額に関係なく1人1票を持つ選挙です。日本の選挙制度は、1889年の「25歳以上の男子　納税額15円以上」からスタートしましたが、戦後に「20歳以上の男女」と普通選挙となり、2015年より18歳に選挙権年齢が引き下げられました。平等選挙とは、一票の価値が平等である選挙です。「1票の格差」が問題となっています。秘密選挙とは、誰が誰に投票したかを誰にも知られない選挙です。直接選挙とは、有権者が投票所などにおいて自分で投票できる選挙です。

● 選挙制度の種類

　選挙制度の種類には、小選挙区制と大選挙区制があります。「小選挙区制」とは、1つの選挙区から1人の当選者を選出する制度で、二大政党制になりやすく、選挙がそのまま政権選択の性格をもちやすい一方で、死票が多いため、

少数意見の反映が困難という欠点があります。「大選挙区制」とは、1つの選挙区から2人以上の当選者を選出する制度で、比例代表制はこの中の1つです。比例代表制は、主に政党の名前で投票し、各党の得票数に応じて議席を配分する制度で、小政党でも議席を獲得しやすく、連立政権が成立しやすくなります。比例代表制は、多様な意見を反映しやすいものの、小党分立状態を生みやすく政権が安定しないという欠点があります。

● **日本の選挙制度**

　日本では、衆議院議員選挙は、現在、小選挙区選挙と比例代表選挙とを組み合わせる「小選挙区比例代表並立制」を採用しています。参議院議員選挙は、原則都道府県を単位とする選挙区制と全国区の比例代表制を採用しています。一票の価値の格差是正のために合区にしているところもあり、合区を解消すべきか、議論があるところです。

これがポイント

一票の格差と合区問題

　「一票の格差」とは、選挙区ごとの議員1人あたりの有権者数の差によって、1票の価値に格差が生じることをいいます。法の下の平等、平等選挙に反するのではないかと問題視されています。裁判所も違憲状態の判断を複数行っています。裁判所の違憲状態の判断を受けて、参議院選挙において、1票の格差を是正するために島根県と鳥取県、高知県と徳島県について、合区（2つの県で1つの選挙区とすること）としました。

　しかし、合区に対しては、「合区した2つの県の間で利害が対立するような問題が生じた場合、国政に両県民の意思を反映していくことが難しくなる、合区された選挙区では、有権者にとって候補者を知る機会が少なくなる」として、合区解消を求める声もあります。1票の絶対的な平等をめざすべきなのか、地域等の意思を政治に反映させやすくするような制度がいいのか、合区となった地域住民、1票の格差で実質1票の価値が低くなっている地域の住民、国といったそれぞれの立場から、国会議員の役割（全国民の代表）や参議院の意義もふまえて、考えてみましょう。

ちょっとウンチク

投票率の低下

　民主政治が機能するためには、民意が正しく反映される必要があります。ところが、投票率が低いと民意と離れた政治が行われるおそれがあります。特に、若年層の投票率低下が著しく、高齢層の政治的な影響力が増す「シルバーデモクラシー」が生じているとの指摘もあります。投票率低下の対策として、期日前投票制度の導入やインターネットでの選挙運動の解禁がなされましたが、投票率の低下に歯止めはかかっていません。

29 メディアと世論

メディアの情報とどのように接していけばいいのか

　私たちは選挙で、候補者の誰に投票するかを決める際に、メディアからの情報を参考にします。また民主政治に影響を与えるのは、選挙だけではなく、世論も影響を与えますが、世論はメディアの報道をふまえて形成されています。民主政治において、メディアは重要な役割を担っているのです。私たちは、メディアとどのようにつき合っていけばいいのでしょうか。

世論とは、多くの人々がもっている共通の考え、世間一般の意見のことをいいますが、政治は世論の動向を見て、方針が決められることもあります。その世論は、メディアの報道によって影響を受けます。

　メディアには、新聞やテレビ、ラジオなどマスコミュニケーションを行う媒体のマスメディアと、インターネット上で利用者同士が相互に情報をやりとりするソーシャルメディアがあります。ソーシャルメディアでは、誰もが容易に情報発信をすることができるようになり、近年ますます活発になっています。

　マスメディアは、その影響力の強さから立法、行政、司法に次ぐ「第四の権力」とも呼ばれます。マスメディアは、商業主義に走りやすく、問題を単純化して伝えたり、一面だけをセンセーショナルに扱ったりする傾向もあり、情報を受け取る私たちには、正しい情報を取捨選択できる情報リテラシーを身につけておくことが必要です。また、メディアが権力と結びつくと、世論が権力に都合によいように操作される危険性があります。ロシアのウクライナ侵攻でも、ロシア政府は、政府に都合のよい情報だけをメディアを通じて国民に流しているようです。

● **情報のとり方、情報発信のやり方、情報の扱い方について学ぼう**
　「フェイクニュースに注意」
　メディアが伝える情報を、うのみにすることなく、批判的に検証する姿勢が必要です。

情報には、フェイクニュース（虚偽の情報）が紛れ込んでいることもあります。フェイクニュースは、アクセス数や広告収入の増加などの営利目的、あるいは政治的な意図をもって流されるものもあります。特に、ソーシャルメディアでは、事前に確認をへなくても情報を発信できることから「フェイクニュース」など誤った情報や不正確な情報が拡散されやすくなります。フェイクニュースに惑わされると、正しい判断ができませんし、それを信じて自らが社会に虚偽の情報を拡散してしまう危険性もあります。

　フェイクニュースに惑わされないためには、どうすればいいのでしょうか。正しい情報を得るためにはどのようにすればいいのでしょうか。そのためには、

- ●誰が、どのような立場から情報を発信しているのかを確認すること
- ●内容に矛盾がないかを確認、検討すること
- ●情報は事実なのか発信者の意見（評価）なのかを意識すること
- ●複数の情報を確認すること
- ●情報の裏付けとなった根拠を確認すること

が必要です。

これがポイント

「メディアの情報は、現実そのものではない」

　ジャーナリストの菅谷明子氏は、「メディア・リテラシー」（岩波新書）の中で、次のようなことを述べています。

　「メディアが送り出す情報は、現実そのものではなく、送り手の観点からとらえられたものの見方の１つにしか過ぎない。事実を切り取るためには常に主観が必要であり、また、何かを伝えるということは、裏返せば何かを伝えないということでもある。特別な意図がなくても、制作者の思惑や価値判断が入り込まざるを得ないのだ。」

　私たちは、メディアの情報を、そのまま現実として受け止めがちですが、あくまで、情報発信者の脳内を通過したものであることを踏まえておく必要があります。

第  章

法の働きと私たち

　私たちの社会では、法、道徳、慣習といった社会生活を送るうえで守るべき様々な決まり（規範）があります。法はその1つですが、法はいったい何のためにあるのでしょうか。道徳や慣習とは何が異なるのでしょうか。

30 法と社会規範の役割

法やルールの役割を考えてみよう

法や規範というと、「縛るもの」というイメージをもつかもしれません。法や規範がない方が自由で良いのではないでしょうか。法はいったい何のためにあるのでしょうか。

法とは何でしょうか。道徳や慣習、法など人々が社会生活を送る際の行動の基準を、社会規範といいます。社会には、「○○すべし」というルールであふれています。国会で制定された法律だけではなく、学校の校則や会社の就業規則、集合住宅のルールなどもあります。ルールを「規範」といいますが、規範には、法の他に、道徳や慣習といったものもあります。規範の役割は、いろいろな人がいる社会において、人に一定の行動指針を与え、秩序を保とうとするものです。法も規範の1つです。「親孝行をしなさい」「年長者を敬いなさい」というのは、道徳ですが、法ではありません。

法が、道徳や慣習といった規範と異なるのは、国家権力との関係が問題となってくるところです。法に違反したときに、国家による強制力が働くことが特徴です。

もし、人を殴ってケガをさせれば、傷害罪として、国家から罰金や懲役といった処罰を受ける可能性がありますし、被害者に対して損害賠償責任を負い、もし賠償しなければ、財産を差し押さえられて、強制的に賠償をさせられる可能性もあります。

法とは、いろいろな人々が暮らす社会において、人々が共生していくための相互尊重のルールです。そのために、国家が法を定め、法を適用し、時には、強制力をもって、法で認められた権利を実現しようとするのです。法の背景には、法が実現したい個人の尊重、自由、平等、公正などの基本的な価値があります。また、法に基づき、公正な手続きを通じて、紛争を解決するためのしくみとして司法制度が存在します。

● 法の役割

　法には、様々な役割・機能があります。社会秩序を乱す行為について、刑罰などの制裁を科すことによって社会秩序を維持し、統制する「社会統制機能」（刑法など）、契約や会社設立など人々の自由な活動のルールを定め、活動や利害調整を促進する「活動促進機能」（民法や商法など）、社会で紛争が起こった場合に備え、法的紛争解決の基準や裁判所の紛争解決手続きを確保する「紛争解決機能」（民法や民事訴訟法など）、生活環境、教育、社会保障などの公的サービスの提供や、財の再配分などを規定し、資源配分を行う「資源配分機能」（生活保護法など）といった機能があります。

● 法の種類

①公法と私法

　法的な主体には、国や地方公共団体といったものと、個人や法人（企業）といった私人があります。「公法」とは、国家の統治のしくみや国家と私人の関係について規定した法規範です。憲法や行政法、刑法がその例です。「私法」とは、私人同士の関係について規定した法規範をいいます。民法や商法などがその例です。「社会法」は、経済的に弱い立場の人々を保護するために制定された法規範をいいます。生活保護法がその例です。

②一般法と特別法

　法は、対象によって、一般法と特別法に分類できます。「一般法」とは、広範囲に適用される一般的な法規範をいい、民法がその例です。「特別法」とは、特定の分野や範囲を対象として規定される法規範をいいます。民法に対して、商人や商行為に適用される商法は、民法の特別法にあたります。特別法のある領域については、一般法より特別法が優先適用されます。

ちょっとウンチク

六法って何？

　六法全書の「六法」は、憲法、民法、刑法、商法、民事訴訟法、刑事訴訟法のことをいいます。「六法全書」には、六法以外の法律も多数掲載されていて、法律は年々増えていくので、「六法全書」は、とても分厚く、重くなっています。「弁護士は、六法全書をすべて暗記しているのですか」という質問も「あるある」ですが、当然そのようなことはありませんし、とても無理です。

法の適用と裁判

事実認定と法的三段論法

裁判には、契約などをめぐる私人間の紛争を、権利義務の判断を通じて解決する「民事裁判」と、検察官が起訴した内容の犯罪事実を被告人が行ったと認められるか、認められた場合の刑罰についてどうするかを審理・判断する「刑事裁判」とがあります。いずれも、法が権利発生や犯罪の要件とした事実があるかを認定し、法を適用して、判断するというプロセスを辿ります。

裁判では、事実を認定し、ルール（法律）にあてはめることで、法的効果を導き出します。

民事裁判では、権利が発生するための法律で定められた要件とされた事実があると認定されれば、要件を満たしたとして、法律効果としての権利が発生します。

● **法の適用とそのプロセス～具体的事実に法を適用するとは（三段論法と法的三段論法）**

例えば、AがBから殴られて怪我をしたので、治療費や慰謝料の損害賠償をBに請求したいとBを相手に裁判に訴えた事例ではどうでしょうか。

このAの請求が認められるかは、Aに、「Bに対する損害賠償請求権が認められるか」の裁判所の判断にかかります。

民法第709条は「故意又は過失によって他人の権利又は法律上保護される利益を侵害した者は、これによって生じた損害を賠償する責任を負う」と定めており、損害賠償請求権が認められるかは、この法律が定めた要件にあたる事実が認められるかどうかによります。損害賠償請求権を発生させるための要件となる事実は、故意又は過失があること、違法行為があること、違法な行為によって損害が発生したことです。

この事実があったかを証拠（例えば、損害であれば、診断書や治療費の領収書）によって認定し、要件となる事実があれば、損害賠償請求権という権利が発生する、だからAの請求は認められるという流れになります。

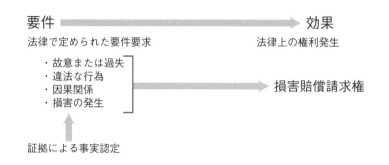

▼要件事実と法律効果

要件 ➡➡➡ 効果

法律で定められた要件要求　　　　　　　　法律上の権利発生

・故意または過失
・違法な行為　　　　　　　　　　　➡　損害賠償請求権
・因果関係
・損害の発生

証拠による事実認定

第**5**章

法の働きと私たち

　刑事裁判では、検察官が被告人を起訴した公訴事実が認められるかです。公訴事実には、「被告人は、令和○年○月○日、○○の場所で、刃渡り20センチの包丁で、Bの腹部を殺意を持って突き刺し、Bを出血死させた」と殺人罪の犯罪該当事実を指摘し、検察官は、「被告人の行為は、刑法第199条の殺人罪にあたるから処罰されたい」と裁判官に求めます。

　刑事裁判では、被告人が、Bを殺したといえるのか、故意をもって人を殺すような行為をなしたのかが、証拠によって認定されるか審理されます。包丁で腹部を刺す行為は、死に至らしめる危険性のある行為であり、被告人が包丁で腹部を刺す行為をしたという事実が認められると、殺人罪の「殺した」にあてはまるとなるのです（さらに、主観的な要件として「故意」も問題となります）。

　法の適用では、「法的三段論法」が用いられます。まず**「三段論法」とは、大前提と小前提をもとに結論を導き出す思考法のこと**をいいます。例えば「人は死ぬ」という大前提と、「ソクラテスは人である」という小前提から、「ソクラテスは死ぬものである」という結論を導き出すものです。

　そして、「法的三段論法」では、大前提を「法律の規定」、小前提を「事実」として、事実を法律の規定にあてはめることで、その法律が定めた「効果」を導き出します。例えば、「AはBを包丁で刺して殺した」という事実が、「人を殺した者は、死刑又は無期もしくは5年以上の懲役に処する」という刑法第199条の規定（殺人罪）の「人を殺した」にあたれば、「Aは、死刑又は無期若しくは5年以上の懲役に処される」という法的な効果が生じることになるのです。

　法的三段論法に基づいて正しい結論を導き出すためには、大前提である法律の規定と、小前提である事実とがともに正しいものである必要があります。

市民生活と私法

自由と平等から導かれた私法の原則

　私人同士の関係について定めた法を「私法」といいます。私たちが日常的に行っている契約のルールは、私法の基本法である民法に定められています。私法の世界では、自由と平等の理念から導かれた「権利能力平等の原則」、「私的自治の原則」、「所有権絶対の原則」の3つの原則があります。そして「私的自治の原則」からは「契約自由の原則」と「過失責任の原則」が導かれます。

私法は、私人間について定めた法で、公法と対置されます。私法の代表例が民法です。民法では、主体や意思表示、時効といった民法の一般原則の他、物の所有や契約、不法行為について定めた「財産法」と、夫婦や親子といった家族関係や相続のルールを定めた「家族法」があります。

　私法では、権利能力平等の原則、私的自治の原則、所有権絶対の原則の3つの原則があります。これらの原則は、自由と平等の理念から導かれ、相互に関係しながら、法の解釈や適用の基本となっています。

①権利能力平等の原則

　権利能力とは、契約によって代金を受け取ったり、財産を相続したりするなど私法に基づいて権利や義務を負うための資格のことをいいます。「権利能力平等の原則」とは、全ての人が等しく権利義務主体となる資格を有するとする原則のことです。民法は、「私権の享有は、出生に始まる」（民法第3条1項）と定め、権利能力平等の原則を明らかにしています。人である限り、だれもが権利能力者となり、身分や性別、年齢によって、権利能力がある者と権利能力がない者とが分れることはありません。権利能力平等の原則は、「全ての人は等しい」という、平等の観点から導かれるものです。

②所有権絶対の原則

　所有権絶対の原則とは、物のもち主は、その所有している物について、自由に使用、収益、処分することができるという原則のことです。憲法第29条は「財

産権は、これを侵してはならない。」と個人の財産権・私有財産制を保障しています。

③私的自治の原則

　私的自治の原則とは、人は、契約などの私的な関係を、国家権力の干渉を受けずに、自由な意思に基づいて築くことができるという原則です。そこから、誰と、どのような内容の契約をするかは自由であるという「契約自由の原則」が導かれます。私的自治の原則は、近代国家においては、個人は自由・平等であり、その権利・義務の形成は、各人の自由な意思のもとに決定されるべきという考えを背景にしています。

　私的自治の原則から、「過失責任の原則」も導かれます。「過失責任の原則」とは、故意や過失による行動で、他人に損害を与えてしまった場合には、その損害を賠償する責任を負うとする原則です。逆にいえば、過失がなければ、損害が発生したとしても責任を負わなくて良いのです。私人には、契約だけではなく、行動についても自由が保障されているのです。

　権利能力平等の原則のもと、すべての個人をその資格において平等なものとみなすことができれば、あとは各人の能力や努力による自由な契約や行動に任せておきます（契約自由の原則、過失責任の原則）。そして、能力に優れ、努力を惜しまなかった人が、自分の働きの結果として得た財産は、その人の物として保障します（所有権絶対の原則：私有財産制）。このように**権利能力平等の原則、契約自由の原則、過失責任の原則、所有権絶対の原則は、自由と平等を基礎として相互につながり、資本主義経済を発展**させました。

▼私法の原則

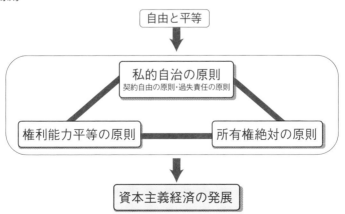

33 多様な契約

契約にかかわる権利と責任とは

　私たちの社会生活では、商品の購入や電車を利用するなどの様々契約を交わしています。契約とは、何でしょうか。約束と何が違うのでしょうか。良い契約をするためには、どのようなことに注意すればよいのでしょうか。

契約とは、単なる約束とは異なり法的な権利義務関係を発生させる法的な約束です。私たちは、社会の中で様々な人々とかかわり合って生活していますが、「契約」は、そのかかわりの主要なものです。商品を購入すること（売買契約）、電車やバスに乗ること（運送契約）、会社に勤めること（労働契約）、アパートを借りること（賃貸借契約）、全て契約です。契約は、当事者の申し込みと承諾といった意思表示の合致（合意）によって成立します。例えば、売買契約であれば、売主の「売ります」、買主の「買います」という意思表示の合致で成立します。契約が成立するためには、原則として「契約書」は必要ではなく、お互いの合意があれば成立します。契約書を取り交わす意味は、契約で発生するお互いの権利と義務の内容が明確となり、後日のトラブル防止のためです。**契約が「法的な約束」という意味は、契約を結べば双方に権利と義務が発生するということです**（例えば、売主には商品を引き渡す義務が、買主には代金支払うという義務が発生します）。

　もし、当事者の一方が契約で発生した義務を果たさなければ、国家は、民事裁判手続を経て、義務をはたすように促し、もしそれでも義務者が義務を履行しない場合には、最終的には財産を差し押さえる等の強制力を働かせます。

● 契約自由の原則

　契約自由の原則とは、誰と、何について、どのような契約を結ぶか、または結ばないかを、自由に決めることができるという原則をいいます。例えば、売買契約の場合、誰から買うのか、何を買うのか、代金の額など契約の内容をどのようにするのか、契約書を交わすのか、そもそも買わないのかを自由に決めることができます。近代国家の自由と平等を基礎にした原則で、当事者は自由

かつ平等であり、私人間の事柄は、当事者の自由意思に委ね、なるべく国家は介入しないのが望ましいという考え方から来ています。もっとも、殺人依頼契約のような公序良俗に違反する契約については、当事者の合意があったとしても国家がその履行を強制することは、望ましくないことから「無効」とされています（民法第90条）。

● 契約自由の原則の修正

　契約自由の原則は、当事者は対等であることを前提としています。しかしながら、実際には、両者の関係が対等でない場合があります。例えば、事業者と消費者の間の契約では、もっている情報に大きな格差があり（情報の非対称性）、交渉力にも格差があります。その場合に、完全に自由にしておくと、現実には、立場が強い側（事業者）に有利な契約が結ばれ、立場の弱い側は、不利な契約を結ぶしかないことになります。そこで、立場の弱い側（消費者）を保護するために、公正の観点から、法が規制し（＝国家が介入し）契約自由の原則を制限していることもあります。消費者を保護する消費者契約法がその例です。

● 良い契約をするために

　私たちは、契約をすることによって、自分では生産できない物を手に入れたり、サービスを利用したりすることができます。また、会社と労働契約をすることを通じて、収入を得て、生活を豊かにし、社会に貢献することもできます。自分にとって必要でよい契約を積み重ねることが、人生を豊かにするための重要要素です。

　しかし、一方で、契約は、自らにも代金支払義務、労務提供義務といった義務を負うことでもあり、自分にとって不必要な契約や害になる契約をしてしまうと、大切な財産や時間を失うことになります。また、契約は、合意することで、「契約の拘束力」が生じます。従って、契約した後に後悔したとしても、「やっぱりやめます」と一方的に解約することは、原則としてできません。そこで、契約をする際には、本当に必要な契約なのかを吟味する必要があります。

　消費者として、良い契約をするためのポイントは何でしょうか。それは、自分にとって本当に必要なものかを吟味して契約をすることです。私たちは、流行っているから、みんながもっているからという理由だけで、不必要なものまで購入したりしがちです（デモンストレーション効果）。また広告は、購入意欲を刺激するようにうまくできており、つい流されて必要のないものまで購入し

てしまいます。「それは本当に必要なものか、自分を幸せにするものか」を自分に問いかけることが大切です。

　そのうえで、自分の状況と相手、商品やサービスの情報を吟味します。自分の状況とは、「今の自分の収入や支出状況に見合った消費か」ということです。手元に現金がなくても、クレジットカード払いや分割払いで、自分の収入に見合わない買い物をしてしまいがちですが、自分の収入と生活費の支出状況から見て、バランスのとれた消費行動なのかを検討する必要があります。これを見誤ると、いつのまにか借り入れに頼り、返済に追われる「多重債務」になってしまいます。

　相手、商品やサービスの情報の吟味とは、相手が信用できる業者なのか、購入しようとしている商品やサービスはどのようなものなのかを、検討します。広告では、広告の目的が、商品やサービスを購入してもらいたいという意図のもとに作られていることをふまえて、広告に掲載された商品やサービスの情報を検討します。性能や品質、価格等が問題となりますが、自分が何を目的として、この商品やサービスを購入しようとしているのかを意識したうえで、商品の性能や品質、価格と照らし合わせます。また他の業者の同様な商品やサービスと比較検討すると良いでしょう。

　情報を検討するにあたっては、その情報が「事実」なのか「評価」なのかを分けて検討します。「評価」については、評価する人の主観によるものであり、自分もそうだとは限りません。例えば「うまいラーメン！」と広告にうたっていても、自分が食べると「まずい」と感じるかも知れません。事実については、重要事項については、裏付けを確認すると良いでしょう（例えば、賃借物件について「駅から徒歩３分」なら、実際に歩いて確認してみる等）。

契約の基礎となる価値～信義誠実の原則

　契約は、法的な権利義務を発生させ、当事者を拘束しますが、その根底には、強制されなくても、お互いに誠実に、契約の締結や契約の実現に努めてほしいという法の要請があります。民法は、第１条２項で「権利の行使及び義務の履行は、信義に従い誠実に行わなければならない。」と定めています。相手との約束は守ろう、相手の信頼に応えようという誠実な態度は、道徳の世界だけではなく法の世界でも重要です。

34 消費者の権利と責任

自立した消費者としてどのように行動すべきか

　消費者は、事業者との間で商品やサービスを購入する契約をして日々の消費生活を営んでいます。しかし、消費者と事業者との間には、情報格差（情報の非対称性）、交渉力格差もあるために、契約で不利益をこうむる可能性があります。私たちは、自立した消費者としてどのように行動すればいいのでしょうか。

契約が締結

されると、当事者間に権利義務関係が発生し、「契約の拘束力」が生まれます。相手方の同意なしに一方的に契約を解約することは、原則としてできなくなります。民法では、契約をする際の意思表示の過程に問題があった場合（詐欺・強迫や錯誤）に取消を認めていますが、その立証は必ずしも容易ではありません。事業者と消費者が契約を行う消費者契約の場合、民法の解約に関する規定だけでは、消費者の利益を十分に保護されないとして、消費者を保護するために、消費者契約法が 2000 年に制定されました。消費者契約法では、事業者の一定の悪質な行為（嘘のことを伝えた場合や必ず儲かります等と断定的表現をした場合等）によって契約をしてしまった場合には、消費者が契約を取り消せるとしました。

● クーリング・オフ制度

　契約には拘束力があり、一方的に解約はできないのが原則です。しかし、特定商取引法等が定めた一定の契約（訪問販売、電話勧誘販売等）については、消費者の側だけに、クーリング・オフという、一方的に解約できる制度があります。「クーリング＝頭を冷やして」「オフ＝なかったことにする」という言葉の通り、**クーリング・オフとは、頭を冷やし冷静に考え直す時間を与え、一定の期間内であれば、無条件で契約の解除ができる制度のことです。**訪問販売や電話勧誘販売など、不意打ち的な勧誘でつい、「契約します」と言ってしまいやすい契約類型に、この制度が設けられています。一方で、店頭販売やネットショッ

ピングの場合には、じっくり考えて決められる時間があるとして、クーリング・オフ制度はないことに注意が必要です。

● 契約トラブルにあったら

　もし契約トラブルにあったら、相談することが大切です。相談先としては、国民生活センターや消費生活センターがあります。消費者ホットライン 188 に電話をすれば、最寄りの消費者生活センターの相談窓口につながります。また、日本司法支援センター（法テラス）や各地の弁護士会の相談センターで、弁護士に相談することもできます。

● 18歳成人〜未成年者取消権の保護がなくなる側面も

　未成年者が親の同意を得ずに契約を結んだ場合は、親などの法定代理人や未成年者本人に契約の取消権が認められています。これは民法が、判断能力が十分でない未成年者を、定型的に制限行為能力者として扱い、自分自身で契約などをする資格を制限することによって、不利益な契約から保護しようとするものです。

　2022 年 4 月から成年年齢が 20 歳から 18 歳に引き下げられました。その意味は、18 歳になれば、単独で契約ができたり、クレジットカードを作ることができたりする反面、未成年者取消権の保護がなくなることも意味します。従前は、未成年者取消権の保護がなくなった 20 歳をこえた若者が消費者被害に遭うことが多かったのですが、今後は 18 歳、19 歳の消費者被害の増加が懸念されます。そこで、消費者被害に遭わず、適切な契約ができるようになるための消費者教育がますます重要性になっています。

● 消費者市民社会の形成〜消費者の責任

　消費者は、事業者との関係で、単に保護される対象ではありません。消費者は、自らの消費行動が現在・将来の社会や地球環境に与える影響を自覚して、公正で持続可能な社会の形成に参画すること、消費者市民社会の主体としての活動が期待されています。

　市場経済において、企業が何をどれだけ生産すべきかについて、最終的な決定は消費者が担っています（消費者主権）。商品の選択についても、自己の利益だけにとらわれずに、自らの消費行動が現在・将来の社会や人、地球環境には配慮しながら消費行動を行うこと（エシカル消費）が求められています。発

展途上国の生産者に公平に利益を分配するフェアトレード製品や地球環境に配慮した企業活動を行う企業製品を購入することがその例です。

▼消費者契約法により契約が取消できる例

不実告知	契約内容や条件などの重要事項について事実と異なることを告げ、消費者がそれを事実と誤認して行った契約 「高速道路が通って値上がりします」
断定的判断の提供	将来の変動が不確実な事項について断定的判断を提供し、消費者がその判断を確実と誤認して行った契約 「この株、必ず儲かりますよ」
不利益事実の不告知	消費者に不利益になる事実を故意に告げなかったことにより、消費者が誤認して行った契約 「隣に高層マンションが建つことを知って告げない」
不退去・退去妨害	消費者が退去を求めるにもかかわらず、事業者が退去しないときや、本人が退去したいと意思を示しているにもかかわらず退去できないために消費者が困惑し行った契約
霊感等による 知見を用いた告知	「あなたには霊がついており、このままでは病気が悪化する」などと告げ、消費者の不安をあおって勧誘
過量な内容の契約	目的となる物品などの分量が消費者にとって通常想定されるものを著しく超えることを事業者が知りながら勧誘し、行われた契約

▼一般社会で契約は大切なこと

さまざまな場面で色んな形の契約が存在する

35 司法の役割と国民の司法参加の意義

公正な裁判のために

　具体的な紛争を法に基づいて解決することを「司法」といい、日本国憲法では裁判所にのみ司法権を認めています。人権保障のためには、公正・中立な裁判が行われることが前提となり、国会や内閣から干渉されないように「司法権の独立」が保障されています。司法の役割とは何でしょうか。また裁判員制度に見られる国民が司法に参加することに、どのような意義があるのでしょうか。

　国家の権力を3つに分けた三権分立の枠組みの中で、司法権は裁判所が担っています。司法権とは、具体的な事件や法的紛争に際して、法律の解釈・適用によって国民の権利を保障する国家の役割をいいます。訴訟の種類には、民事訴訟、刑事訴訟、行政訴訟の3種類があります。

　民事訴訟（民事裁判）とは、売買代金の請求や交通事故の損害賠償請求といった私人と私人の間の紛争を扱う裁判のことをいいます。裁判に訴えた側が原告、訴えらえた側が被告となり、双方の主張と提出された証拠をふまえて、裁判所が権利義務の判断を行います。終わり方は、裁判所が判断を下す「判決」の他に、裁判官の仲立ちもあって当事者同士が合意によって解決を図る「和解」もあります（実際は和解で終わることの方が多いです）。

　刑事訴訟（刑事裁判）とは、主に検察官が、犯罪を行ったとして起訴している被告人について、有罪か無罪かを判断し、有罪の場合には、どのような刑罰を科すか（量刑）を決める裁判のことをいいます。刑事裁判において、検察官と被告人の合意による「和解」はありません。刑事裁判では、有罪の立証責任は、検察官にあり（つまり、被告人において無罪を立証する責任はありません）、その立証の程度も「合理的な疑いを入れない程度に」とハードルが高いものとなっています。これは、無辜の民を処罰するえん罪を防ぐためのものです。弁護人は、その際、被告人を弁護して、被告人の権利保障をはかる役割を果たしています。

行政訴訟（行政裁判）とは、政府や地方公共団体の行政行為の適法性を争う訴訟のことをいいます。行政訴訟では、行政行為の取消し、無効、差し止め、不作為の違法確認を求めることが多いです。

「被告人」ではありません！

　民事裁判では、原告によって訴えられた人を「被告」と呼びますが、刑事裁判の「被告人」のイメージが強いためか、民事裁判で訴えられて「被告」とされると（呼ばれると）、私は「被告人ではありません！」と憤慨する方もいます。言葉が、紛らわしいですよね。

● 刑事手続きの流れ

　罪を犯したと疑われ、捜査の対象とされている人を「被疑者」といい、被疑者は警察の取り調べを受け、逮捕された場合には48時間以内に検察官に送致されるかどうかが決まります。検察に送検された被疑者は、その後検察官による取り調べを受け、起訴されるかどうかが決まります。起訴されると「被告人」として刑事裁判にかけられます。刑事裁判では、有罪か無罪か、有罪の場合には量刑が審理の上、決められます。

● 刑罰の目的とは何か

　刑罰の目的には、大きく分けて、「社会の安全確保」（社会秩序の維持）と「応報」にあると考えられています。「社会の安全確保」というのは、**①受刑者が再び罪を犯すのを防ぐこと（特別予防）、②犯罪者に刑罰を科して、他の人々に警告をすることで、犯罪を防止することが目的です（一般予防）。**「応報」というのは、刑罰は、正義に違反した行為に応じて受ける報いであると考えます。

　社会安全確保の目的の立場に立てば、刑罰は、犯罪者を矯正教育し、法を守る市民へと更生させることが重要になります。応報の立場に立てば、刑の重さは、正義の回復を満足させるものであるべきとされます。

　応報の立場に立ち、刑罰の目的は被害者の感情を満足させることにあると考えれば、過度の厳罰化を求める議論になる恐れがあります。また社会の安全確保の立場も行き過ぎると、罪を犯す傾向のある人は、それが是正されるまで、刑務所から出すべきではないという議論につながる恐れもあります。

現在は、どちらか一方と考えるのではなく、刑罰の目的は、犯罪予防も応報もいずれもあると考えられていますが、刑務所に服役した者もいずれ社会に戻る可能性があり、社会において共生するために、矯正教育の視点が重視されています。

これがポイント

死刑制度を維持すべきか、廃止すべきか

　現在の日本には死刑制度があります。死刑は、法務大臣の執行命令で、絞首刑という方法で行われます。5年ごとに内閣府が実施している死刑制度に関する世論調査の結果によると、死刑を「やむをえない」と容認する回答が、近年は8割を超えています。1948年に最高裁判所は死刑制度について、憲法第36条の残虐な刑罰にあたらないとして合憲判決を下しています。一方で、世界では、現在死刑を廃止している国と地域が140以上あります。1989年に国連総会で死刑をめざす「死刑廃止条約」が採択され、世界の潮流としては、廃止の流れになっています。この問題についてどのように考えればいいのでしょうか。世論や世界の潮流に加えて、被害者遺族の声、えん罪の可能性、刑罰の意味、生命の尊厳、どのような刑罰を科せば正義に適うのか等もふまえて、考えてみましょう。

● 裁判員制度の目的とは

　1999年より開始された司法制度改革の一環として、裁判員制度が導入され、2009年より開始されました。裁判員は、18歳以上の国民の中から選任されて、裁判官とともに、有罪か無罪かの判断および量刑の決定に関与します。裁判員制度の対象となる事件は、殺人罪や強盗致傷罪など、死刑や無期懲役にもあたる罪に該当する重大な犯罪です。すなわち、私たちが裁判員として、死刑にするか否かの重大な判断に迫られる可能性もあります。

　このように、一般市民が刑事裁判に参加する裁判員制度が導入されたのはなぜでしょうか。刑事裁判に一般市民の感覚を反映させること、市民参加を可能にするため、裁判を迅速化し、裁判の手続きや判決をわかりやすくすることなどがその理由とされています。市民が刑事裁判に参加することによって、司法に対する国民の理解と信頼を深めることが期待されています。

● なぜ被疑者、被告人には「黙秘権」という権利があるのか

　被疑者や被告人が黙秘をして、容疑を否認しているとの報道に、「真犯人でないのであれば、きちんと話して身の潔白を証明すればいいのに」と思うことはないでしょうか。また、やったのだったら、正直に話すべきだと思いませんか。しかし、被疑者や被告人が黙秘をする「黙秘権」は、権利として認められています。なぜ、被疑者・被告人には「黙秘権」が認められているのでしょうか。

　刑事裁判において、検察官は、被告人の有罪であることを証拠によって「合理的な疑いを入れない程度」まで立証しなければなりません。そのため、証拠が少ない場合には、自白を得ようとして、怒鳴ったりする等の強引な取り調べが行われる可能性があり、実際にもそのような取り調べが行われた例がありました。自白を得ようとする強引な取り調べによって、本当は犯罪行為をしていないのに、取り調べを免れるために、嘘の自白をしてしまい、無実の罪で処罰される例もありました。そのような不当な取り調べや、嘘の自白によって無実の民が処罰されることがないように、憲法や刑事訴訟法は、「黙秘権」を保障しているのです。

▼刑事手続きの流れ

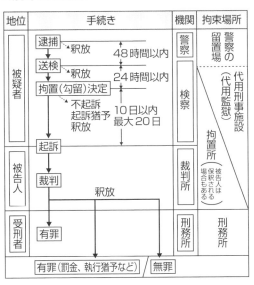

あまり身近なイメージがないかもしれない

memo

第 6 章

経済社会で生きる私たち

私たちの生活は経済活動によって支えられています。本章では、経済活動や市場のしくみ、市場の限界について学びます。

36 労働者の権利と雇用・労働問題

働きやすい労働環境をつくるために

労働契約も、契約の1つで、使用者と労働者の合意によって、契約が成立します。労働契約では、労働内容や賃金、休日などの労働条件を定める必要があります。労働契約においては、最低賃金の定めや、使用者からの解約（解雇）の制限等、契約自由の原則に修正が加えられています。

労働 では、なぜ契約自由の原則が修正されているのでしょうか。使用者と労働者がどのような労働条件で契約するかは、建前としては、当事者間の自由ですが、実際には、使用者と労働者との間には圧倒的な「力の差」があります。使用者と労働者であれば、何も規制がなければ、使用者は、利潤を追求して、自らに有利な契約内容を提示するでしょう。労働者は、生きていくために、その不利な労働条件でも受け入れるしかありません。実際に、国家による規制がない状況下では、労働者は、長時間労働、劣悪な労働環境、低賃金といった過酷な労働条件の下でも働かざるを得ない状況でした。弱者である労働者側に、実質的な契約の自由はありませんでした。そこで、国家による契約への規制によって、実質的平等（公平）を図り、労働者の生活する権利を保護しようとしたのです。

● 労働契約における契約自由の原則の修正

日本国憲法では、すべての国民に働く権利である勤労権を保障しています（第27条）。さらに、憲法は、労働者が団結して組合を結成する権利の団結権、団体交渉を要求する権利の団体交渉権、ストライキなどの団体行動を行う権利の団体行動権（争議権）の労働三権を保障しました（第28条）。このことによって、労働者が使用者と対等の立場で労働条件の改善に取り組めるようになりました。**勤労権と労働三権は、いずれも労働者にとって基本的な権利であるため、労働基本権と呼ばれています。**

この労働基本権を具体的に保障するために、労働基準法・労働組合法・労働関係調整法の労働三法が制定されました。このうち、労働基準法は、労働者を保護するために賃金、労働時間、休息、休暇といった労働条件の最低基準を定めた法律です。仮に、労働者が同意したとしても、一定の基準を下回る労働基準で労働者を働かせることは許されません。労働基準法を使用者が守っているかどうかの監督機関として、都道府県に労働局、主な市町村に労働基準監督署が置かれています。

▼労働基準法の主な労働条件

賃金	男女同一賃金。毎月1回以上、一定の期日に通貨で直接支払う（賃金の最低基準は最低賃金法に規定）。時間外・休日・深夜労働に対しては割増賃金を支払う
労働時間	1日8時間、週40時間以内
休日・有給休暇	毎週1日（または4週間に4日以上）、6か月以上勤務の労働者に有給休暇の付与
契約	労働条件の明示、解雇は最低30日前に予告
年少者	15歳未満の労働禁止。18歳未満の深夜労働を禁止
女性	産前6週間、産後8週間の休業の保障

● 日本の労働環境の変化

　経済の低成長やグローバル化による企業間競争の激化を反映して、新卒で採用され定年まで働き続ける「終身雇用制」や、勤続年数が増えるにつれて賃金が上昇する「年功序列型賃金」を見直す企業が増えました。企業は、職務給や年俸制といった賃金制度を採用し、欧米型の成果主義、能力主義という効率性に重点を置いた経営が主流になっていきました。

　労働者派遣法の改正によって、より幅広い業種で派遣労働者が働くようになりました。現在では、パートタイム、アルバイトを含む非正規社員の割合は、全雇用者の40%近くに及んでいます。非正規社員は、企業に都合で解雇されやすく、そのため2008年のリーマン・ショックでは、多くの派遣社員が解雇され、貧困と格差が広がり社会問題になりました。

● 現代の労働問題

　バブル経済の崩壊以降、企業が新規採用や正規雇用者を削減したことで、フリーターやニートと呼ばれる若年層が増え、若年失業率は全労働者と比べて高

い状況です。派遣社員などの非正規社員の中には、仕事をもっていても困窮した生活から抜け出せない「ワーキングプア」も増えています。

　また、正規雇用者であっても長時間労働や、残業代のつかないサービス残業を強いられる場合もあり、過労死やメンタルヘルスが悪化するなどの労働災害（労災）も発生しています。さらに、若者に長時間労働や残業、過重なノルマを強いて使い捨てる企業もあり、ブラック企業と呼ばれて、問題視されています。性的な言動や性別役割分担意識に基づく言動で、相手に精神的苦痛を与えるセクシュアルハラスメントや、職場の優越的な地位を背景に、不当な営業ノルマを課したり、暴言を浴びせたりして相手に精神的苦痛を与えるパワーハラスメントも問題となっています。

● 働きやすい労働環境に向けて

　2018 年に働き方改革関連法が制定し、残業時間の上限規制、有給休暇の取得義務化、同一労働同一賃金原則が定められました。企業には、「多様な働き方」「柔軟な働き方」をめざす働き方改革が求められています。出産・育児や介護との両立、高齢者や障がい者の雇用促進など、だれもが公平に働くことのできる社会、1 人 1 人が職業生活と個人としての生活の両立をはかるワーク・ライフ・バランスが実現できる社会が求められています。

▼近時の労働法制の動き

	法律名	改正・施行年	主な内容
労働基準法	変形労働時間制	1999 年施行	1 日 8 時間をこえる労働が可能で、① 1 週間単位② 1 か月単位③ 1 か月を超え 1 年以内の期間単位の 3 種類ある。③については 1 日 10 時間までの労働が認められるようになった
	裁量労働制	2000 年施行	見なし労働時間制の適用。研究機関など 11 業種から企画などのホワイトカラーに適用拡大
労働契約法		2008 年施行	採用、労働条件の変更、解雇など労使間の雇用ルールの明確化（有期雇用の契約を含む）
		2012 年改正	無期労働契約への転換などの導入
労働者派遣法		1999 年改正	26 業種に限られていた対象業務を原則自由化
		2015 年改正	派遣労働者の同一部署での勤務を上限 3 年に
育児・介護休業法		2001 年改正	休業や休業の申し出が理由での解雇その他不利益な取り扱い禁止
		2017 年施行	育児休業や介護休業の取得要件を緩和
男女雇用機会均等法		1999 年施行	募集、採用、配置、昇進などの差別禁止
		2007 年施行	男女双方への差別禁止に拡大
		2017 年施行	マタニティー・ハラスメントへの対策を義務化
労働施策総合推進法		2019 年改正	パワーハラスメントへの対策を義務化

資料編

●役立つ! 知っておきたいワークルールQ&A

① 給料の金額が労働契約の内容と違ったら

Q アルバイトの給料をもらったら、給料がなぜか少なくなっていました。経営者は、「経営が厳しいから、給料を下げさせてもらった」と言っています。このようなことが、許されるのでしょうか?

A 許されません。賃金の引き下げをはじめ、労働契約の内容を、会社(経営者)が一方的に変更することは、労働契約法違反です。契約を変更する場合には、会社は、そのことを労働者に説明し、必ず本人の同意を得なければなりません。この場合、労働者は、差額分の賃金を会社に請求することができます。

② 年次有給休暇をとらせてくれない

Q 有給休暇をとりたいと社長にいったら、「こんな忙しい時期に休めるわけがないでしょ!」と断られました。仕方がないのでしょうか?

A 労働者がその会社に6か月以上勤務し、全労働日の8割以上出勤すれば、10日間の年次有給休暇(年休)が認められます。もっとも、会社は、その人の年休を認めると、会社の業務に著しい支障が生じる場合には、会社は年休時季の変更を求めることができるとされています。ただし、これは、会社がその人のかわりになる人を、どうしても確保できない場合に限られます。

③ 産休をとろうとしたら解雇された

Q 産休をとろうとしたら、「産休だって?それなら、会社を辞めたら」と解雇されてしまいました。これって許されるのでしょうか?

A 許されません。女性労働者を、産休を理由に解雇することは男女雇用機会均等法で禁じられています。出産前6週間と出産後8週間は出産休暇(産休)をとることができます。また、子どもが1歳になるまでは育児休業(育休)をとることができます。産休や育休を理由に解雇することは、違法行為であり、許されません。

④ 少しのミスでも職場で長時間叱られる・・・

Q 少しのミスでも上司から「お前は何をやらせてもダメだな!」「もう辞めろ!」と長時間にわたって叱責を受けて、精神的にまいってしまいました。これって、自分がミスをするのが悪いので、我慢すべきなのでしょうか?

A いいえ。上司の言動に問題があります。上司の言動は、優越的な地位を背景にした、業務上必要かつ相当な範囲を超えた言動であって、労働者に過大な精神的苦痛を与える「パワーハラスメント」にあたります。我慢せずに、信頼できる社内の人や会社の相談窓口、労働局の総合労働相談コーナーに相談してください。

私たちと経済

経済とは何か

私たちは、生活のための収入を得るために労働し、得た収入を消費にあてて暮らしています。資源を利用して分業・生産を行い、交換、消費することを経済といいますが、経済活動は、私たちの社会生活を支える重要な基盤です。

経済とは、資源を使って分業・生産を行い、交換、消費する一連の過程をいいます。私たちの生活には、さまざまな財やサービスが必要ですが、自然の物をそのまま利用しているわけではなく、天然資源に働きかけて、生産をしています。例えば、コメをつくるにも農家が、土地に手を加え、稲を育てて、収穫するという労力とお金をかけて、コメが生産されています。農家は、その生産したコメを販売し、流通過程をへて、消費者がコメを購入し、消費されます。私たちが食べる物も着る物も自分一人だけで生産することはできません。そこで、ある人は食べる物を、ある人を着る物を生産し、貨幣を通じて交換することで、それぞれの必要としている物を手に入れています。経済は、人々の分業と交換を通じて営まれています。私たちの暮らしが経済活動そのものであって、経済とは生産と流通、消費を通じて暮らしを豊かにするしくみなのです。

● 資源の希少性とトレードオフ

生産には、土地（天然資源）、労働力、資本といった資源が必要ですが、資源には限りがあります（資源の希少性）。そのため、限られた資源を何に使うのかの選択が必要になります。資源をAの生産に使うのか、Bの生産に使うのかの選択です。そして、Aの生産に資源を使う選択をしたら、Bの生産はできません。このように「Aを選べばBは選べない。Bを選べばAを選べない」というような関係のことをトレードオフといいます。

トレードオフは、私たちの生活において身近なものです。例えば、休日に遊びに行けば、アルバイトをすればもらえたはずの1万円はもらえなくなるのもトレードオフです。選択できずに手放した価値を機会費用といいます。休日に遊ぶという選択をしたために、もらえなかったアルバイト代1万円が機会費用

です。経済活動においては、選択をする際には、「機会費用は何か」を意識することが重要と考えられています。

人生はトレードオフの連続

　トレードオフや機会費用は、身近な問題です。宴会後の「締めのラーメン」を食べることは、その快楽と引き換えに余分な脂肪を蓄えるという機会費用がかかります。AさんとBさんからプロポーズされ、Aさんを選び、Aさんと結婚することは、Bさんと結婚できないという機会費用をかけています。「ああ、あのとき、別の選択をしていれば」と思うこともあるかも知れません。人生は、選択の連続であり、それはすなわちトレードオフと機会費用の連続でもあります。選択の場面では、手に入れるものに意識が向きがちですが、失うもの（機会費用）を意識して選択すると、選択の精度があがるのかも知れません。

● 経済の主体と経済の循環

　一国の経済活動は、消費活動をする「家計」、生産活動の中心となる「企業」、財政活動を行う「政府」の3つの経済主体間の経済循環によって行われます。

　私たちの日々の生活は、主に「家計」を中心に営まれています。「家計」は、企業や政府に労働力を提供して賃金・給与を得るか、あるいは事業を経営するなどして、所得を得ます。そしてその所得から消費や貯蓄を行います。「企業」は、家計から提供された労働力をもとに、財やサービスを生産し、その販売を通じて利潤を得ようとします。「政府」は、家計や企業が納める税金を主な財源にして、警察や消防、道路などの公共サービスを供給します。また、経済の安定や成長をはかる政策を行います。例えば、政府が、補助金や政府系金融機関による低金利融資によって次の世代の成長産業を後押しする等です。現代の経済は、この3つの経済主体の循環（経済循環）の上に成り立っています。

　家計・企業・政府の間で、ヒトやカネ、モノ、サービスが円滑に流れることで、経済が成り立っています。そして、すべての経済主体（家計、企業、政府）は限りある資源を何に使えばよいのかという選択に迫られています。資源の希少性から、トレードオフの問題に直面するのです。家計では、得た収入を何に使うのか、迫られることでしょう。政府は、限られた税収を適切に配分して、国民の福祉を向上させなければなりません。

　限りのある資源を無駄なく、効率的に配分することは、どの経済主体におけ

る経済活動に共通する課題です。しかし、効率性を追求すると、公平性と対立することもあります。無駄を省くという効率性を重視すれば、公平性が損なわれ、公平性を重視すると効率性が失われるということです。例えば、企業が利潤のために「効率性」を追求するとして、バリアフリー設備等の障がい者のための設備設置費用をかけないことは、公平性に反する選択です。

▼3つの経済主体と経済の循環の図

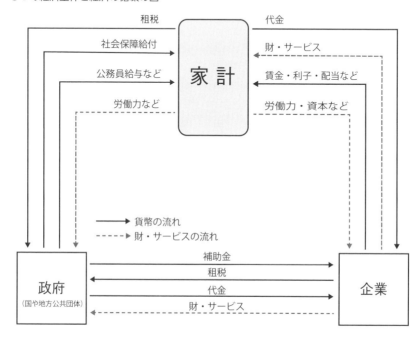

▼日々の買物も家計の中心

㊳ 市場経済のしくみ

市場メカニズムとその限界

　財やサービスが商品として売買され、市場を通じて資源配分が行われるのが「市場経済」です。市場経済では、財やサービスの「価格の動き」によって資源の効率的な配分が期待されます。一方で、市場がスムーズに機能せず、資源の効率的な配分ができない「市場の失敗」もあります。どうすれば、効率的な資源配分ができるのでしょうか。

市場とは、売り手（供給）と買い手（需要）が出合い、交換を行う場です。**市場経済とは、財やサービスが商品として売買され、市場を通じて資源配分が行われる経済のことです。**市場経済では、市場における自由な取引を通じて、財やサービスの価格と生産量が決められていきます。

　市場では、どのようにして価格が決まるのでしょうか。ここで、有名な「需要曲線・供給曲線」が出てきます。商品の価格が高くなると、消費者の需要量（買いたいと思う量）は少なく、企業の供給量（売りたいと思う量）は増えます。その結果、商品に余りが出ると、企業は、商品を売るために、価格を引き下げます。価格が下がると、消費者の需要量は増えて、企業からの供給量は減ります。その結果、商品が足らなくなり、企業は商品の価格引き上げをはかります。

　このように価格が変動することで、やがて需要と供給が一致する価格が見出されます。この価格を「均衡価格」といいます。価格の変動に導かれて需要と供給が一致するしくみを「価格の自動調整機能」といいます。自由競争が成立する市場において、価格の自動調整機能によって需要と供給が一致すると、供給された財やサービスは全て消費されます。その結果、社会全体として最適な資源配分が達成されます。このような価格変動によって、資源配分がなされるしくみを「市場メカニズム」といいます。ここでは、自由と効率性が重視されています。

● 市場の失敗

　しかし、市場が常に効率的な資源配分を実現できるとは限りません。「市場の

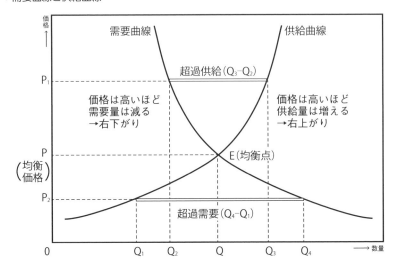

失敗」という市場メカニズムが機能しない場合もあるからです。「市場の失敗」を補うのは、政府の役割です。市場メカニズムが機能するのであれば、それに任せ、市場メカニズムが機能せずに不都合な場合に、政府が介入してフォローするというスタンスをとります。

①独占と寡占

　市場メカニズムが機能するためは、企業間の競争が前提となりますが、企業同士で、商品の価格を下がらないように取り決めなどをしていたら、競争は起こらず、市場メカニズムは機能しません。こうした行為は価格カルテルといわれ、競争を排除する行為として独占禁止法によって禁止されています。また、少数の大企業が市場を支配する寡占・独占となると、価格競争が乏しくなる傾向にあります。

②情報の非対称性

　「情報の非対称性」とは、契約当事者間での情報量に格差があることをいいます。市場が効率的に機能するためには、製品の価格や品質に関する情報を、売り手と買い手の双方が、同程度もつことが必要ですが、実際には、売り手に比べ買い手のもつ情報は乏しいのが現実です。買い手に十分な情報がない場合には、適切な価格で商品を購入できなくなります。

③外部性

　企業の利潤追求の過程で発生する公害や環境破壊などは、その企業が費用負担する必要がない場合には、対策がとられにくく、市場メカニズムだけで解決することは困難です。このように、市場の外部で生じる問題を外部性問題といいます。外部性問題には、政府による規制が必要であり、例えば、環境破壊については、環境基本法をはじめとした環境規制が設けられています。

④公共財の供給

　道路や水道などの社会資本、警察や消防などの公共サービスは、「公共財」と呼ばれ、所得の高低にかかわりなく誰もが受けられなくてはなりませんが、民間企業が、支払いが困難な人に、サービスを供給し続けることは困難です。市場メカニズムに任せていては、サービスを受けられずに困る人がでてきます。そこで、こうしたサービスは、政府が直接供給する必要があります。

● 資本主義経済の変容と経済思想

　資本主義が成立してから、政府は、自由放任と積極政策、規制緩和と規制強化、「小さな政府」と「大きな政府」の間を揺れ動いてきました。

①資本主義の成立

　18世紀後半にイギリスで起こった産業革命を契機として、資本主義経済が成立しました。資本主義とは、生産手段をもつ資本家が、労働者を雇用し利益を追求していく、自由競争による経済発展をはかる経済体制のことをいいます。市民革命をへて、私有財産制が保障されることによって、資本主義が発展していきます。

　イギリスの経済学者アダム＝スミスは、「国富論」で、自己利益の拡大を図る人間の利己心による自由な活動が、神の「見えざる手」によって導かれ、社会全体の利益を増進すると説明しました（自由放任主義：レッセ・フェール「小さな政府」）。

　ところが、企業間の競争激化による労働者の貧困化や1929年の世界恐慌時の失業者の増大などによって、人々の生活が不安定となり、労働者の不満が高まりました。

②資本主義の変容

　このような社会不安に対して、2つの動きが現れました。1つは、社会主義、もう1つは修正資本主義です。

　ドイツの経済学者マルクスは、「資本論」で、資本主義は資本家が労働者から搾取しているとして、資本家を打倒して労働者主体の世の中をつくろうとする思想である社会主義を提唱しました。社会主義は、生産手段の国有化と集権的な経済計画の下で生産管理を行おうとするものです。この思想を受けて、ソビエト連邦や中国で社会主義国家が成立しました。

　イギリスの経済学者ケインズは、資本主義の枠組みの中で、資本主義の欠陥の克服をめざしました。国家によって雇用を創出させ、有効需要をつくり出し、完全雇用を実現することを提唱しました。これは、政府の役割として、所得再配分や経済の安定化を加える「大きな政府」への転換を図るものでした（修正資本主義）。これは、アメリカのルーズベルト大統領によるニューディール政策によって具体化されました。

③資本主義の現在

　第二次世界大戦後、資本主義を採用する各国は、経済成長と福祉国家の実現をめざしました。しかしながら、政府の市場介入や規制は、巨額の財政赤字を招いたり、民間の活力を減退させたりしました。1970年代のオイルショックと国際経済環境の変化によって、世界経済が低迷すると、アメリカの経済学者フリードマンは、民営化や規制緩和などによる「新自由主義」を提唱しました。各国は、ケインズ主義の「大きな政府」に代わって、「小さな政府」の方向に舵を切りました。日本の規制緩和や国鉄や電電公社、郵政事業等の民営化もその流れといえます。一方で、「小さな政府」をめざす政策は格差拡大の要因の1つにもなっています。

　社会主義の動きは、しだいに計画経済は行き詰まり、ロシアや中国でも市場経済を取り入れています。

金融のしくみと中央銀行

金融の役割とは

金融とは、資金を融通することをいいますが、金融が社会で果たすべき役割とは何でしょうか。金融市場において、金融機関はどのような経済的役割を果たしているのでしょうか。

金融とは、資金が余っているところから、資金が足りないところへ「資金を融通する」ことをいいます。資金に余裕がある家計や企業が、資金が足らない企業や家計に資金を融通することで、資金が足らない企業も企業活動を継続、発展させることができます。

企業の資金調達という観点から見ると、銀行などの金融機関を通じて資金調達をする間接金融（資金の出どころは預金者の預金）と企業自身が株式や債券を発行して資金を調達する直接金融の2つがあります。直接金融は、家計が資金を必要とする企業や国・地方公共団体に投資するしくみであり（社債、国債や地方債）、間接金融は、銀行などの金融機関を介して、貸し出し・投資するしくみです。金融機関は、企業や家計といった経済主体の資金の流れを円滑にする役割を担っています。

● 中央銀行の役割

日本銀行は、日本の中央銀行です。中央銀行は、通貨価値の安定と信用制度の保持を目的とし、政府から独立して、国全体の経済活動を金融面から支える銀行です。

中央銀行の役割には、紙幣の発券を独占的に行う「発券銀行」、金融機関に対して預金の受け入れと資金の貸し出しを行う「銀行の銀行」、税金などの政治の資金を出納する「政府の銀行」の3つの役割があります。

▼金融の循環

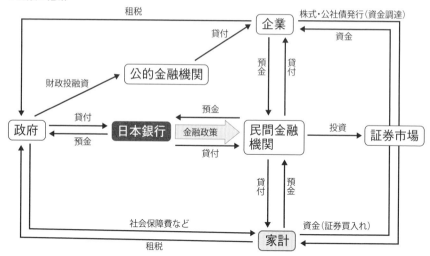

● **金融政策**

　日本銀行は経済情勢に応じて、物価と景気の安定を図る金融政策を行います。主な手段は、金融市場を通して通貨量を調節する公開市場操作（オペレーション）です。これは、日本銀行が国債などの有価証券を市場において売買することによって、日本銀行が供給できる資金量を操作し、間接的に通貨供給量（マネーストック）を増減させようとするものです。通貨供給量を増やそうとするときは、日本銀行が有価証券を買って資金を供給します（買いオペレーション）。通貨供給量を減らそうとするときは、有価証券を売って資金を吸収します（売りオペレーション）。

消えた「公定歩合操作」

　かつては日本では、中央銀行の一般の銀行向けの貸出金利である「公定歩合」が政策金利とされ、これを操作する「公定歩合操作」が金融政策の中心でしたが、金利の自由化によって、意味がなくなり、現在では行われていません。

財政の働きと課題

財政の健全化のためにどうすればいいのか

　財政とは何でしょうか。そして、財政の役割とは何でしょうか。日本では、2021年度末の国債残高が1000兆円を超え、財政赤字が深刻化しています。なぜ日本の財政は赤字になってしまったのでしょうか。赤字財政だと何が困るのでしょうか。そして日本の赤字財政を解消するためにはどうすれば良いのでしょうか。

財政とは、政府が家計や企業から得た収入で、行政サービスなどの公共目的のために支出を行う経済活動のことです。財政の処理は、国会の議決に基づいてなされなければなりません（財政民主主義：憲法第83条）。

● **財政の3つの機能**

　政府は、課税、借り入れ、支出の財政活動を通じて、資源配分の機能、所得再配分の機能、景気調整の機能の3つの機能を果たしています。

①資源配分の調整（公共財の供給）

　財政によって私的財と公共財の資源配分のアンバランスを調整するという機能です。政府は、民間の企業だけに委ねていたのでは、十分な供給が困難な警察・消防などのサービス、道路・上下水道・公園などの公共施設を供給して、国民生活の安定や向上を図ります。

②所得の再分配

　高所得者と低所得者の所得格差を是正する機能です。国民の間の経済的な格差の拡大は、人々の将来に不安を与え、憲法で保障されている生存権が侵害される恐れがあります。そこで、政府は、所得が高くなるにつれて高い税率をかける累進課税制度をとり、徴収した税金を生活保護や社会保障給付に振り向け

ることで、高所得者から低所得者への所得の再配分を行っています。また、相続税や固定資産税などの資産課税を行うことで、資産の再配分も行っています。

③景気の安定化（財政政策）

　市場経済では、景気の変動は避けられませんが、変動幅が大きいと国民生活に大きな影響をおよぼします。そのため政府は、景気変動の波をできるだけなだらかにしようとします。**累進課税制度や失業給付などの制度は、景気の自動安定化装置（ビルト・イン・スタビライザー）の役割も果たしています。**例えば、好況期には、国民の所得は増加しますが、累進課税制度によって税率が上がるため、可処分所得はゆるやかにしか増大せず、失業給付などの社会保障の支出を受ける人が少なくなるために、景気の過熱が抑制されます。一方不況期には、所得が低下し、税率は下がりつつ、社会保障給付の支出を受ける人が増えて、家計と企業から出される支出（有効需要）の減少を防いで、景気の落ち込みを抑制します。

　しかし、このような自動安定化装置だけでは、不十分なので、政府は裁量的（伸縮的）財政政策（フィスカル・ポリシー）によって、景気の安定化を図ります。例えば、不況期には、政府は、減税を行い、公共投資といった財政支出を増やすことで、有効需要を大きくし、不況からの脱出を図り、好況期には、政府は、財政支出を減少させ、増税を行い、民間需要を抑制するのです。

● 財政のしくみ

　政府の財政は1会計年度（日本では4月1日から翌年3月31まで）で完結されるのが原則です。1会計年度の収入を「歳入」、支出を「歳出」といいます。この歳入と歳出の計画が「予算」です。

　政府は新会計年度が始まるのに先立って予算案を作成し、国会での審議・承認を経て予算が成立します。政府は、予算に基づいて収入と支出の活動を行い、年度末には決算を行います。歳入と歳出を管理しているのが「会計」で、会計には、租税などの収入と政府の基本的な活動のための支出を総合的に管理する「一般会計」と、特定の収入を特定の事業のために支出する「特別会計」があります。さらに、これらとは別に、生活環境整備や中小企業融資を行う財政投融資があります。

●財政の課題～赤字財政

　歳出が税収を上回る財政状況を赤字財政といい、日本では、赤字財政の状態が長く続いています。税収で足らない部分は、国債で埋め合わせなければなりません。日本では、バブル崩壊後の不況やリーマン・ショックによって国債残高が累積し、2021年度末の累積国債残高は1000兆円を超えました。税収は歳入の3分の2程度を占めるに過ぎず、公債への依存度は40％を超えて、国債の累積が進んでいます。

　財政の健全性を見る指標としてプライマリー・バランス（基礎的財政収支）があります。プライマリー・バランスとは、国債発行による収入を除いた歳入総額から国債費（国債の償還や利払い費用）を除いた歳出総額を差し引いた収入のバランスをいいます。これがプラス（黒字）なら国債残高は減っていることになります。政府は、プライマリー・バランスの改善に努めていますが、2020年に始まった新型コロナウイルス対策のために国債発行を増加させたこともあり、国債残高はなお増え続けています。

▼日本の国債残高の推移（財務省資料より）

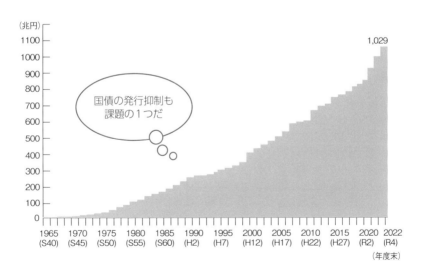

●日本の租税制度

　財政収入の中心は国民から徴収した税金（租税）です。租税は、国に納める国税と地方公共団体に納める地方税とに分けられ、また、税金を納める人（納

税者）と税金を負担する人（担税者）が同じ直接税と、それが異なる間接税とに分類されます。所得税や法人税は直接税、消費税は間接税です。租税は「公平」であることが重要ですが、税負担には2つの公平性があります。同じ負担能力ならば同じ負担とする「水平的公平」と、高い負担能力のある者はより高い負担とする「垂直的公平」です。日本では、所得税課税には、所得が高くなるにつれて税率を高くする累進課税制度を採用していますが、これは「垂直的公平」をはかったものです。しかし、税務署の所得捕捉率が、会社員（会社を介するので高い）と自営業者や農家（自己申告となり低い）とでは異なるため、実際は所得が同じでも税額が違って、不公平が生まれています（水平的に不公平）。消費税は、同じ金額の消費に同額の課税が行われる「水平的公平」な課税です。一方で、所得に関係なく一律に課税されるので、低所得者ほど税負担が重くなるという「逆進性」があり、垂直的には不公平となります。

　日本の税制は、従前は、直接税中心でしたが、人口の高齢化が急速に進む中で財政収入の安定的な確保が課題になったことや、所得税における所得捕捉率の差に不満があったことから、1989年に消費税が3%で導入され、税率も段階的に引き上げられたため（2019年からは10%）、間接税の比率が高くなっています。

ちょっとウンチク

大企業や高所得者へ課税すれば良いのでは

　課税について考えるとき、「大企業や高所得者から多く税金をとって、庶民の負担にならないようにすれば良いのでは」と思いませんか。しかし、そう簡単な問題ではありません。
・法人税を上げれば良いのでは？
グローバル化が進み、企業は、生産拠点を海外へ移すことが容易になったことによって、法人税率が低い国に拠点を移すようになりました。そこで、世界各国は、法人税率を競って引き下げました。これから、法人税を上げることは、企業の生産拠点を海外へ移すことになってしまいます。また法人税を上げることは、企業活動にブレーキをかけ、経済成長を減速させる恐れもあります。
・高所得者の所得税を上げればいいのでは？
垂直的公平の観点から、昔のように所得の多い層に、課税負担を重くすればいいという考えもあります。しかし、グローバル化の下、高所得者は、海外に拠点を移してしまうでしょう。そうすると税収も減りますし、国内の経済発展にも悪い影響がでそうです。

● 赤字財政、国債累積は何が問題か

　赤字財政は、何が問題なのでしょうか。国債残高の増加は、財政の硬直化を招きます。「財政の硬直化」とは、国債が累積すると、借金返済を優先しなければならないため、社会保障や教育など行政サービスへの支出に回す資金が減り、財政の目的が達成できなくなってしまうことをいいます。また、現役世代のために支出した借金の支払いを将来の世代に転嫁するという「世代間の不公平」も起きます。

● 赤字財政の解消、財政再建のためにどうすればいいのか

　では、赤字財政の解消、財政再建のためにどのような方法があるのでしょうか。一般に、財政再建には、増税、歳出削減、経済成長の3つが考えられます。

　「増税」は、国民の理解を得るのが難しい上に、経済成長を停滞させるリスクを伴います。

　「歳出削減」は、社会保障の支出が求められているところと逆方向となり、国民の反対、また増税と同様に経済成長を減速させるリスクもともないます。

　「経済成長」によって税収が増えることが、国民にとっては、痛みをともなわず一番良いのですが、日本では、長く、経済の停滞が続いており、容易ではありません。「アベノミクス」と呼ばれる金融緩和・財政出動・成長戦略の「3本の矢」で経済成長とデフレ脱却を図る経済政策も経済成長に充分なものとはいえない状況です。

ちょっとウンチク

財政健全化のため消費税を上げる必要があるか

　日本では、1989 年に税率 3 ％で消費税が導入され、段階的に引き上げられ2019 年から 10％になっています。諸外国では消費税率が 20％を超える国もあります。財政健全化のため消費税率をさらに引き上げることも考えられます。財政健全化のために消費税を上げるという案に対し、あなたは賛成ですか反対ですか。また消費税増税をしない場合、どのような代替案があるのでしょうか。

　消費税を上げることは、確かに、財源の安定化にはつながります。しかし、個人の消費支出が抑えられてしまい、企業の売上、利益が抑えられ、その結果、個人の収入も減少するという恐れもあります。経済状況では、増税は先送りして、国債発行はやむを得ないとすべきでしょうか。一方で、累積国債残高は、1000 兆円を超え、財政健全化は待ったなしの状況ともいえます。どのようにすればいいのでしょうか。

社会保障の課題とこれから

少子高齢化・人口減少社会にあって社会保障をどうするか

病気や失業、貧困などの生活上のリスクに対し、国が国民の生活を保障しようとするのが社会保障制度です。社会保障制度はなぜ必要なのでしょうか。そして、現在の日本の社会保障制度はどのようになっているのでしょうか。

社会保障とはどのようなことなのでしょうか。人は誰でも、突然の病気や事故、災害や伝染病で、自らの努力ではどうしようもない事態になることもあります。そうした場合に備えて、お互いに助け合えるしくみを社会全体で整えていく必要があります。これが社会保障の基本的な考え方です。自分でなんとかせよとする「自助」、親戚や地域の人たちでお互いに助け合う「共助」、国や地方公共団体がシステムとして助ける「公助」があり、社会保障は「公助」の考え方に基づくものです。

1942 年のベバリッジ報告に基づいて制度化されたイギリスの社会保障制度は「ゆりかごから墓場まで」をスローガンとし、20 世紀の福祉国家の在り方を示すものとして、その後の各国における社会保障制度の模範となっています。

日本国憲法は第 25 条第 1 項で「健康で文化的な最低限度の生活を営む権利（生存権）」を保障し、第 2 項で、生存権を保障するために社会保障の整備を国の義務としました。日本の社会保障制度は、社会保険、公的扶助、社会福祉、公衆衛生の 4 つの柱から構成されています。

「社会保険」には、病気やケガに備えた医療保険、定年後の生活に備えた年金保険、労働災害に備えた労災保険、失業に備えた雇用保険、家族の介護などに備えた介護保険があります。事業主・本人・政府が保険料を出し合い負担します。

「公的扶助」とは、生活保護法に基づき、生活に困窮する人に、公費（税金）で援助するものです。「社会福祉」とは、社会的弱者に対してさまざまな施設・サービスなどを提供するもので、主として公費負担で行われています。児童、母子及び父子並びに寡婦、老人、身体障がい者、知的障がい者の各福祉法を中

心にその対象が定められ、全国の福祉事務所がその事務を行っています。公衆衛生とは、病気の予防や健康の増進、公害対策など環境衛生の改善を図ろうとするもので、各地の保健所が、公衆衛生行政の中心的な役割を担っています。

● 社会保障の課題とこれから

　今、日本の社会保障制度は、「少子高齢化」という課題に直面しています。少子化によって働き手となる生産年齢人口が減少する一方で、総人口に占める65歳以上の人口は、29%を超えて、超高齢社会になっています（21%以上が超高齢社会です）。

　戦後、日本は社会保障制度の整備・拡充に努め、医療と年金については1960年代初頭までに、国民皆保険と国民皆年金を実現させました。しかし、高齢化社会の到来によって、社会保障給付費も急激に増大し、その財源をどのように確保するかが大きな課題となっています。国は、医療保険制度や年金制度の改革、「社会保障と税の一体改革」を図るとして消費税率の引き上げなどを行ってきましたが、財源の安定的な確保は困難な状況です。

▼社会保障給付費の推移

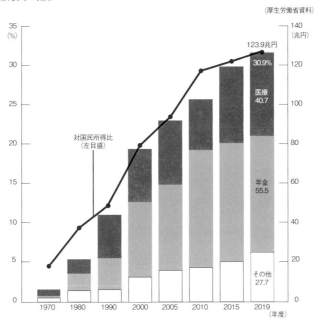

（厚生労働省資料）

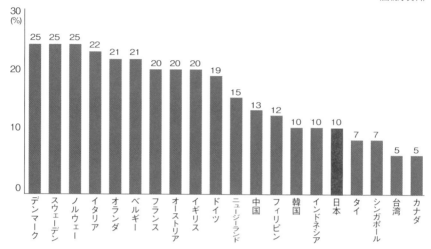

▼付加価値税の標準税率

（国税庁資料）

30
(%)

デンマーク 25
スウェーデン 25
ノルウェー 25
イタリア 22
オランダ 21
ベルギー 21
フランス 20
オーストリア 20
イギリス 20
ドイツ 19
ニュージーランド 15
中国 13
フィリピン 12
韓国 10
インドネシア 10
日本 10
タイ 7
シンガポール 7
台湾 5
カナダ 5

ちょっとウンチク

これからの日本の社会保障制度はどうあるべきか

　財政健全化をはかりつつ、充実した社会保障を実施していくことは大変困難な問題です。国民としては、「高福祉・低負担」が望ましいのですが、それでは、財政が破綻し、持続可能な社会保障制度を維持できません。世界に目を向けるとスウェーデン、フランスのように「高福祉・高負担」の国と、アメリカのように「低福祉・低負担」の国があります。日本は今後、どちらを参考にすべきなのでしょうか。

●「高福祉・高負担」
　国民の税負担や社会保障負担は重いが、子育て支援などの社会保障サービスが充実している国です。きめ細かな福祉サービスが提供されることで出生率が高まり、経済の活性化につながっているともいわれています。

●低福祉・低負担
　低福祉・低負担とは、健康で自ら働くことができる場合、自分の生活は自分の力で維持すべきとする考え方です。国民の税金負担は低く、政府の財政支出は少なくてすむ反面、国民は生活上のリスクに対して、自助努力で対応しなければなりません。低福祉・低負担の国であるアメリカでは、公的な医療保険制度は高齢者や障がい者などに限られ、多くの国民は民間の保険会社の中から、選択し、自己負担で医療保険に加入しています。

第  章

国際社会の中で生きる私たち

　ロシアのウクライナ侵攻等、国際社会の動きが私たちの暮らしにも大きな影響を与えることを実感しました。国際社会における平和維持のために、私たちはどのようにすればいいのでしょうか。

42 国際社会の成り立ち

国際社会秩序を維持するためのしくみとは

　新型コロナウイルスの世界的流行は私たちの暮らしに大きな影響を与えました。ロシアのウクライナ侵攻によっても、物価高などの影響を受けています。国際社会の問題も私たちの社会生活とつながっているのです。国際社会の成り立ちや秩序を維持するためのしくみはどのようになっているのでしょうか。

国際社会の成り立ちを考えてみましょう。現在、世界には 80 億人を超える人々が生活し、196 の国家が存在しています。これらの国家は、国家の三要素とよばれる領域（領土・領海・領空）、国民、主権を持ち、互いに独立し、対等な関係にあります。国際社会は、このような主権国家を基本的な単位として成立しています。

　「国際社会」と呼ばれるものは、三十年戦争を終結させた 1648 年のウェストファリア条約から始まったとされています。この条約で、ヨーロッパの各国は、相互に平等で独立した主権を認め合いました。ここに、主権国家を単位とする国際社会が成立しました。

　主権とは、それぞれの国家が内政について何者にも制約されず、外交について他国の指図を受けずに、政策を決定し遂行する最高権力を意味します。国際社会では、各国は、人口の多さや領土の広さ、経済的な豊かにかかわりなく、主権をもつ主体として平等に扱われます（主権平等）。主権国家は、対等な立場で他国と外交や貿易を行います。外交は、国家間の領土紛争、政治や経済、文化の対立を調整し、国際紛争を未然に防いだり平和的に解決したりする手段です。国際法の 1 つである国連憲章は、国際紛争解決手段としての戦争は違法な行為としていますが、現在も世界のどこかで戦争は続いています。

　現在は、主権国家や国際連合などの国際機関だけでなく、EU（欧州連合）やASEAN（東南アジア諸国連合）といった地域機構や NGO（非政府組織）なども国際社会を構成する主体となっています。

● 国際法の意義

国際社会の取り決めが国際法です。国際法を最初に体系化したのが「国際法の父」といわれるオランダの法学者グロチウスです。グロチウスは、主著「戦争と平和の法」の中で、自然法の立場から国際社会にも国家が守るべき法（国際法）があり、その法に基づいて、国家間の紛争を調整すべきだと主張しました。

国際法は、外交や貿易に関する国際社会のルールであり、領土問題や武力紛争が生じたときにも解決の指針とされます。国際法の存在形態には、国家間で合意をし、成文化された「条約」と、長年にわたる慣習を基にした「国際慣習法」があります。国際慣習法の中には、外交特権や公海自由の原則のように、外交関係条約や国連海洋法条約で成文化されたものもあります。国連海洋法条約で、領海は12海里、排他的経済水域（EEZ）は200海里と定められました。国際社会は、国内と異なり、統一的な政府がないために、国際法は法としての実質的な強制力は弱くなります。

▼国家の領域（主権の及ぶ範囲）

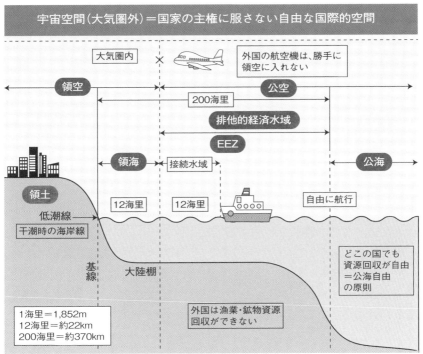

43 国際連合の役割と課題

国際社会を安定させるために

国際社会では、現在も紛争が絶えません。国際社会を安定させるために、どのような方策がとられているのでしょうか。国際社会を安定させるための中心的な存在が国際連合ですが、ここはどのような役割を果たしているのでしょうか。そして、現在、どのような課題があるのでしょうか。

国際紛争を避けるためのしくみとして、同盟による「勢力均衡方式」と「集団安全保障」があります。第一次世界大戦以前の国際社会では、勢力均衡方式、すなわち、対立国家同士の軍事力を均衡させ、お互いに戦争をしかけられない状況をつくることで、国家の安全を確保しようとしていました。しかし、この勢力均衡方式では、互いの勢力が均衡しているかは主観で判断するしかなく、かえって軍拡競争を招き、またひとたび均衡が崩れると大戦争につながりました。例えば、三国協商（イギリス、フランス、ロシア）と三国同盟（ドイツ、オーストリア、イタリア）の対立が第一次世界大戦をもたらしました。

その反省から、第一次世界大戦後、集団安全保障のしくみが制度的に採用されました。集団安全保障とは、対立する国家を含む多数の国家が国際機構をつくり、加盟国が互いに武力行使しないことを約束し、違反した国に対しては加盟国全体で制裁を加えて、安全を保障しようとするものです。第一次世界大戦後に設立された国際連盟は、集団安全保障の最初の試みです。

しかし、国際連盟は、全会一致の意思決定方式や法的拘束力のなさ、大国が不参加であるなどの理由で十分な役割を果たせず、第二次世界大戦を防ぐことができませんでした。このことをふまえて、第二次世界大戦後に新たに国際連合（国連）が作られ、総会、安全保障理事会（安保理）などを中心として、集団安全保障の確立をめざすことになりました。国家間で紛争が平和的に解決できない場合には、国連が経済制裁や軍事的措置を行うことができます。

もっとも、実際には、安保理での常任理事国（アメリカ、ロシア、イギリス、フランス、中国）には拒否権が与えられており、常任理事国が一国でも拒否権を行使すると、議決できません（大国一致の原則）。国連では、平和維持の他に、貧困などの経済的・社会的問題や、災害などへの対策も行っています。世界遺産の認定や新型コロナ対策などがその例です。

▼勢力均衡と集団安全保障

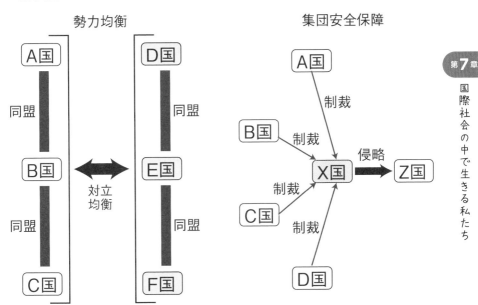

勢力均衡

同盟国と同盟国の間に力の均衡をつくり出すことで平和の維持を図る

集団安全保障

加盟国が武力の行動を禁止し違反した国に対しては加盟国全体で制裁を加えることで平和の維持を図る

ちょっとウンチク

集団安全保障を機能させるためには、どうすればいいのか

　2022年ロシアによるウクライナ軍事侵攻で、ロシア自体が常任理事国であり、拒否権をもつことから、国連は一丸となって侵略に対抗するという集団安全保障の仕組みを機能させることができていません。集団安全保障を機能させるためには、どうすればいいのでしょうか。

⓸ これからの日本の安全保障

日本の平和を守るためにはどうすればいいのか

戦後の日本は、日本国憲法で平和主義の立場を明確にし、「専守防衛」の立場を維持してきました。しかし、近年の集団的自衛権の一部行使容認や自衛隊の海外派遣によって、その立場に変化の兆しが見られます。これからの日本の安全保障はどうすればいいのでしょうか。

日本は、悲惨な戦争への反省から、日本国憲法の前文で、人々が平和のうちに生存する権利である「平和的生存権」が示され、第9条では「戦争の放棄」や「戦力の不保持」が規定されました。

第二次世界大戦後、世界は米ソ対立の冷戦時代に入り、日本では、警察予備隊をへて、自衛隊がつくられました。政府は、「自衛のための必要最低限度の実力」をもつのは憲法第9条の「戦力」にはあたらず合憲としたうえで、武力攻撃を受けたときに反撃する「専守防衛」の立場をとっています。もっとも実際の自衛隊の軍備は着実に増強され、いまや自衛隊は世界有数の軍備となっています。

日本の安全保障のもう1つの柱として、米国と連携する日米安全保障条約がありますが、「思いやり予算」を含む米軍駐留費用の日本負担、在日米軍の日本での法的地位について定めた日米地位協定の在り方、アメリカからの多額の武器購入など、さまざまな問題点が指摘されています。沖縄は、沖縄戦終結後、アメリカの施政権下に置かれ、安全保障上の重要拠点のため、1972年の日本への返還後も、国内の米軍専用基地の約7割が沖縄に集中し、普天間飛行場の移転問題も生じています。

●冷戦後の世界と日本

1989年にベルリンの壁が崩され、90年にドイツ再統一、91年にはソ連が崩壊し、冷戦は終わりましたが、その後も湾岸戦争、2001年のアメリカでの同時多発テロに対するアフガニスタン戦争、2003年のイラク戦争など、世界

では戦争が続いています。

　戦後の日本政府は、武力行使を目的として自衛隊を外国に派遣する「海外派兵」は、違憲としていましたが、湾岸戦争をきっかけに成立したPKO協力法による国連平和維持活動（PKO）や、アメリカ同時多発テロをきっかけに成立したテロ対策特別措置法、イラク戦争をきっかけに成立したイラク復興支援特別措置法による復興支援は可能とされ、自衛隊は海外に派遣されました。

　日本政府は、1970年代以来、日本は集団的自衛権を有してはいるものの、その行使は日本国憲法下では禁止されるとしてきましたが、2014年当時の安倍晋三内閣は従来の政府見解を転換する閣議決定を行い、集団的自衛権の行使を一部可能としました。

▼個別的自衛権と集団的自衛権

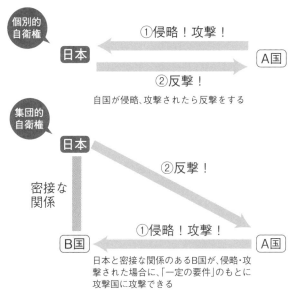

個別的
自衛権

日本　①侵略！攻撃！　A国

②反撃！

自国が侵略、攻撃されたら反撃をする

集団的
自衛権

日本

②反撃！

密接な
関係

B国　①侵略！攻撃！　A国

日本と密接な関係のあるB国が、侵略・攻撃された場合に、「一定の要件」のもとに攻撃国に攻撃できる

ちょっとウンチク

これからの日本の安全保障

　これからの日本の平和を守るためにどうすればいいのでしょうか。自衛隊の防衛力を増強すべきか、アメリカとの関係（日米安保体制）をどうすべきか、ロシアや中国といった大国との外交、北朝鮮への対応、他国との連携、国連での日本の在り方等について考えてみましょう。

45 国際社会の平和と安全の実現に向けて

国際平和のために日本が果たすべき役割とは

日本は、広島・長崎への原爆投下によって世界唯一の被爆国となり、戦争を放棄した平和憲法をもつ国として、戦後一貫して、国際平和のメッセージを発信し、国際平和の実現に努めてきました。これから、国際平和の実現に向けて、日本が果たすべき役割はどのようなものでしょうか。

平和というと戦争や内戦がない状態のことをイメージするかもしれません。それは「消極的平和」と呼ばれます。しかし、戦争や内戦がないからといって人々が平和に暮らしているとは限りません。現在では平和を考える際に、国家間の安全保障だけではなく、1人1人の人間に着目し、その生命や人権を重視する意味の「人間の安全保障」という理念が広がりを見せています。そこで、**平和についても、貧困、抑圧、差別など社会構造によって起こる間接的な暴力（構造的暴力）もない状態である「積極的平和」が目指されています。**

今日の国際社会では、国連を中心とした国際的な協力の下で平和維持活動や平和構築によって、平和の実現をめざしています。

● 日本の国際平和に向けた活動

外交を通じて他国との友好・協力関係を形成・維持することも、平和実現のための重要な手段です。戦後日本は、サンフランシスコ平和条約に基づき東南アジア諸国などへの賠償や経済支援を行いました。韓国や中国とは、条約締結を通じた国交正常化が図られました。日本は、1956年の国連加盟後から国連中心主義・自由主義諸国との協調・アジアの一員としての立場の堅持を「外交三原則」として外交を行ってきました。現在の外交課題としては、竹島（対韓国）、北方領土（対ロシア）、尖閣諸島（対中国）の領土問題、戦後補償問題、北朝鮮問題（核開発、拉致問題）などがあります。

唯一の被爆国としての経験、平和憲法をもつ立場から、これまで日本は国際平和のメッセージを発信してきました。武器輸出三原則、非核三原則もその一環です。日本の国際的な貢献は、さまざまな分野にわたっています。発展途上国に経済的な援助を行うODA（政府開発援助）や青年海外協力隊による技術協力援助も日本の国際的な貢献です。さらに日本の公害防止技術協力は、世界の二酸化炭素量削減に貢献し、漫画やアニメを含めた文化の発信とそれに基づく交流も国境を超えた友好的な関係の形成に役立っています。

● 人間の安全保障とNGO

　世界で暮らす1人1人の人間に着目し、その生命や人権を守っていこうとする「人間の安全保障」という考え方が、これからの平和を維持するために重要です。「人間の安全保障」は2012年の国連総会決議で「貧困と絶望から免れ、自由と尊厳のもとに生きる権利」としてうたわれました。この「人間の安全保障」を実現するために、NGO（非政府組織）が活動しています。NGOとは、政府や国際機関とは異なる民間の立場から、国境や民族の壁を超えて活動する団体です。アムネスティ・インターナショナルや国境なき医師団もNGOの1つです。その活動は、発展途上国や紛争地域における医療活動や平和構築、人権擁護や環境保全など広範囲にわたります。日本には、国際協力の分野だけでも現在400を超えるNGOがあります。

●「囚人のジレンマ」から考える核軍縮

　核拡散防止条約（NPT）で、五大国（アメリカ・ロシア・イギリス・フランス・中国）に限定されたはずの核保有ですが、その後も、インド、パキスタン、イスラエル、北朝鮮などが核保有国となっています。核軍縮がなかなか進まないのは、ある国が核軍縮を行っても、別の国が行わなければ、軍縮した国が軍事的に不利になってしまうため、どの国も軍縮をしないという「安全保障のジレンマ」があるからです。

　「囚人のジレンマ」を核軍縮にあてはめて考えてみましょう。核兵器を有するA国とB国が、軍拡競争をしているとします。選択肢としては、「軍縮に協力する」「裏切る（軍拡を続ける）」があります。

　この場合、「お互いに軍縮削減に協力する」という選択が、防衛に不安は生じずかつ経済的負担を軽減できるので、一番良い結果になるにもかかわらず、「自国だけ軍縮しても、相手国が軍縮しないと不利になる」「自国だけ軍拡を続けて、

相手国が軍縮するなら一番有利だ」と「裏切る（軍拡を続ける）」を選択し、相手国も同様な選択をして、結局軍拡競争が続いてしまうのです。

　相互不信から生じる「裏切る」の選択に対する対処法としては、お互いの信頼関係を構築していくしかありません。

▼安全保障のジレンマ～「囚人のジレンマ」を安全保障にあてはめると

相手国の選択 自国の選択	相手国が軍拡した場合 （裏切る）	相手国が軍縮した場合 （協働する）
軍拡する （裏切る）	自国も相手国も軍事費用がかさみ、安全保障も後退する	自国のみ軍拡が進み、軍事上は優位にたつが、相手国の（国際的にも）信頼を失う
軍縮する （協働する）	自国のみ軍縮となり、相手国に軍事上劣位となってしまう	自国も相手国も軍縮が進み、経済的負担が軽減されるとともに安全保障も進む

お互いに協働して軍縮をするのが、経済的にも安全保障的にもよい結果となるが、相手国への信頼関係がないと相手国が裏切って軍拡することを想定して、軍事上劣位に立つことを回避し、軍拡を進めてしまう

▼被曝国日本の象徴である原爆ドーム

世界の軍縮の流れの中で日本の役割は重要である

国際経済の諸課題

貧困と飢餓をなくすためにはどうすればいいのだろう

　国際経済には、「南北問題」「南南問題」の格差問題、さらに人口爆発と食料問題等の課題があります。これまで、これらの課題解決のためにどのような取組がなされてきたのでしょうか。

第7章

国際社会の中で生きる私たち

南北問題 という格差問題について考えてみましょう

　地球の北半球に多い先進国と、南半球に多い発展途上国との経済格差を「南北問題」といいます。南側に位置した多くの発展途上国は、かつて先進国の植民地とされ、単一の農産物や鉱物資源の生産（モノカルチャー）を押しつけられていました。第二次世界大戦後に独立した後も、事態は変わらず、先進国は工業製品を、南側諸国は農産物や鉱産物などの一次産品をそれぞれ生産し、貿易を行うという分業体制（垂直的分業）が維持され、先進国との経済格差はさらに拡大しました。

● 南南問題

　南側諸国の中には、石油資源をもつ産油国や、輸出指向型の工業化を進めたNIEs（新興工業経済地域）などの国々は経済成長を遂げ、貧困からの脱出に成功しました。他方、サハラ以南のアフリカなどには、なお貧困にあえぐ国も存在しています。このように南側諸国の中で、成長する国と貧困にあえぐ国（後発発展途上国）との経済格差問題を「南南問題」といいます。

● 格差是正の取り組み

　南北格差を是正するために、1964年に「UNCTAD（国連貿易開発会議）」が開催・設立され、発展途上国への一般特恵関税（GSP）の導入や、一次産品の価格安定をめざす取り組みなどが行われました。発展途上国が自国の資源の輸出で得た利益をもとに経済発展を図ろうとする「資源ナショナリズム」の動

きも高まりました。先進国は、発展途上国に対して、政府開発援助（ODA）を中心に経済協力を行ってきました。1974年国連資源特別委員会において、石油危機後の資源産出国の発言力の高まりを受けて、南北間の公平な経済関係の樹立を要求する「新国際経済秩序（NIEO）樹立宣言」が採択されました。1990年代になると、国連開発計画（UNDP）は人間開発指数（HDI）を作成して貧困層に直接届く援助を実現することを提唱しました。

さらに国連は、2000年に、貧困と飢餓の撲滅、普遍的な初等教育の達成等の8項目の目標を掲げた「ミレニアム開発目標（MDGs）」を採択し、発展途上国への支援を進めました。その後、この目標が達成期限を迎えた2015年に、国連サミットで新たな開発目標「持続可能な開発目標（SDGs）」が採択され、貧困と飢餓の撲滅に加え、地球環境問題への対策など、2030年までに達成すべき目標を示しました。

最近は、途上国の生産者の正当な利益を守り、環境保護にも配慮した「フェアトレード」をすすめる動きも高まっています。

● 人口・食料問題

20世紀の後半に、人口が急激に増加する「人口爆発」と呼ばれる時代を迎えました。1980年に44億人ほどだった人口が、2022年には80億人を突破し、今後も増加が予測されます。人口の増加にともなって食料不足が深刻さを増しています。世界には、飢餓状態にある人々が約8億人もいます。これは食料が世界で絶対的に不足しているわけではありません。世界全体の年間穀物生産量は、世界中の人が生きて行くのに必要な量の2倍程度はあるのです。飢餓の原因は、地球規模での偏在に起因しています。先進国では食料過剰や食品ロスが問題になっているのに対して、発展途上国では、自然災害、紛争、貧困のために5人に1人が栄養不足の状態にあります。

これがポイント

発展途上国の貧困問題、食料問題を解決するためには、どうすれば良いのか

「持続可能な開発目標（SDGs）」の目標の1つに「2030年までに飢餓と栄養不良を終わらせる」が掲げられています。しかし、新型コロナウイルスやロシアのウクライナ侵攻の影響もあって飢餓人口は急激に増加しました。発展途上国の食料問題を解決するためには、どうすればいいのでしょうか。飢餓の原因はどこにあるのでしょうか。私たちには、何ができるのでしょうか。

第  章

C【持続可能な社会づくりの主体となる私たち】

　ここでは、公共の精神をもった自立した主体となることをめざして、現代社会の諸課題を探究する活動を行います。共に生きる社会を築くという観点から、A「公共の扉」で学んだ社会的な「見方・考え方」や公共的空間における基本的原理を用いながら、B「自立した主体として社会に参画する私たち」で扱った現代の諸課題についての関心を高めつつ、その解決策を検討していきます。

47 課題探究活動の展開
自ら問いを立て考察する

　課題探究では、どのようなテーマを選び、どうやって調査し、どのように考察し、発表したらよいのでしょうか。テーマ設定、情報収集のやり方、情報の整理分析、考察、まとめ、表現方法について学びます。

探究活動 とは、自ら問いを立て、情報を収集して分析し、よく考えて自分の主張を決め、それを他者に向けて発表するという一連の活動のことです。

　これまでの「A 公共の扉」「B自立した主体として社会に参画する私たち」の学習をふまえて、社会的な議論が求められている現代の諸課題について、探究活動を行います。「公共」の学習は、あらかじめ決められた内容を知識として覚えるだけで終わりではありません。生徒たちには、現代社会に対する自分自身の関心や問題意識を出発点にして、学ぶべき内容や考えるべき問いを自分で決め、考えたことを他者と共有できるようになることまで求められています。

● **探究活動の展開**
① **課題（テーマ）の設定**
　課題の設定には、SDGs（持続可能な開発目標）が参考になります。持続可能な開発目標（Sustainable Development Goals, SDGs）とは、持続可能で多様性と包摂性のある社会を実現するため、2015 年の国連持続可能な開発サミットで採択されました。これは、「地球上の誰一人として取り残さない」ことを理念とし、2030 年までに達成すべき17のゴール（目標）と 169 のターゲット（達成基準）で構成されています。SDGs は、全ての国が取り組むべき内容で、現代社会が抱えている課題がよくわかります。

② **情報の収集と読み取り・分析**
　課題の探究に必要な情報を複数の資料から適切に選択し、A「公共の扉」で学んだ社会的な「見方・考え方」を働かせて読み取りや分析を行います。

③課題の探究

　A「公共の扉」で身につけた選択・判断の手がかりとなる功利主義、義務論といった2つの考え方や「効率と公正」などの見方・考え方などを活用して、B「自立した主体として社会に参画する私たち」で学んだテーマ学習をふまえて、多面的・多角的に考察、構想します。

④自分の考えの説明、論述：レポート、プレゼン

　考察、構想したことからまとめた自らの主張を、他者に対してわかりやすく説得力があるように表現します。「わかりやすく説得力がある」というのは、論理的に筋道たてて説明することと（演繹法的観点）、さまざまなデータから導き出されること（帰納法的観点）をふまえていることです。

⑤ふり返り

　最後に、全体の学習をふり返り、成果（自分で問いを立て考えることができたか、どのような力が身についたか）と課題（もっと改善できた点はどこか）を確認します。そして探究活動から、「もっと知りたい」と思ったことは何かを考え、そこから新たな問いを設定します。

●SDGs 17のゴール

思考・論証ツール

帰納法と演繹法、トゥールミン図式

データから結論を導く帰納法、原理原則から論理的に結論を導く演繹法を活用すると、思考が整理され、相手に伝えるときも説得力が増します。また、トゥールミン図式という思考ツールを用いて、意見、事実や根拠を整理するのも効果的です。

帰納法とは、個々の経験（実験や観察など）からそれらに共通する一般的な法則を導き出す方法のことをいいます。例えば、「台風1号が来て暴風雨となった。台風2号が来ても暴風雨となった。台風3号が来ても暴風雨となった。よって台風が来れば暴風雨となる」というものです。イギリス経験論のベーコンは、「知は力なり」と経験に基づく知識は、自然を支配する力になると唱え、新しい学問は観察や実験によって多くのデータを集め、少しずつ一般法則に近づいていく帰納法によるべきと考えました。

演繹法とは、だれにとっても疑うことのできない確実な真理から出発し、論理的な推論を通じて結論を導く方法をいいます。例えば、「台風とは、北太平洋の南西部に発生する熱帯低気圧のうち，最大風速が毎秒 17.2 メートル 以上に発達したものである。よって、台風が来れば暴風雨となる」という論証です。大陸合理論のデカルトは、確実な知識の源泉を理性による思考に求め、経験を理解するために理性を正しく用いるべきとし、演繹法を唱えました。この確実な真理に至る方法として、全ての感覚や経験を徹底的に疑う方法をとりました（方法的懐疑）。その結果、疑っている「わたし」（われ）の存在は疑うことができないとして、「われ思う、ゆえにわれあり」と表現しました。

ベーコンの事実による「実証」とデカルトの理性による「論証」とは、近代科学の両輪で、私たちの思考や他者に説明する際においても意識すると良いでしょう。

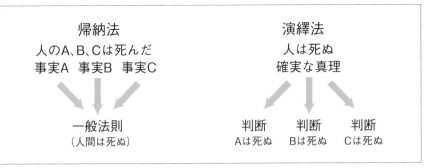

● トゥールミン図式

　論理的に考え、相手に説得的に伝えるために「トゥールミン図式」を作成すると良いでしょう。トゥールミン図式とは、主張、根拠事実、論拠（理由付け）を要素として、以下のような関係に立つ図式です。

　例えば、検察官の立場から「AがナイフでBを刺した」ことを主張しようとしています。そのために、「Bの血痕が付いたナイフの柄にAの指紋が付着していた」という事実を指摘します。そして、「Aの指紋がナイフの柄にあるなら、ナイフをAが握ったことが推認できる」として、「AがナイフでBを刺した」という主張の理由付けとしているのです。

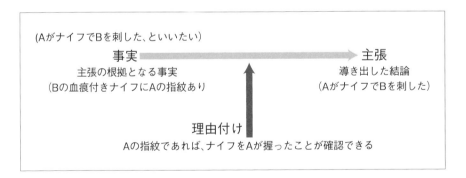

　この際には、その事実は、本当に事実なのか？（本当にAの指紋なのか）、またその理由付けは、信用できるのか？（Aがナイフを握ったからといって、Aを刺したとはいえないのではないか。別の機会に握ったのかもしれない。）を検証することが大切です。

探究の実践

49 地球温暖化対策と国際協調について考える

　ここでは、具体的に「地球温暖化問題」を素材として、探究活動の流れを見ていきましょう。まずは、なぜ私たちは地球温暖化対策に取り組む必要があるのかを認識することからです。

● **課題の設定**

①地球温暖化とは何か、なぜ問題なのか、対策の必要性

　SDGs13のゴール（目標）では「気候変動に具体的な対策を」となっています。産業革命以降、化石燃料の大量消費によって大気中に多くの二酸化炭素が排出され、温室効果ガスの濃度が上昇しました。これによって、大気中に蓄熱されるエネルギー量が増加し（温室効果）、地球規模で気温が上昇し、「地球温暖化」が進んでいるといわれています。

　地球温暖化は、大気環境全体に影響し、大雨や干ばつ、寒波や熱波、巨大台風といった異常気象の原因になると考えられています。海水の膨張や、北極や南極の氷や氷河が溶け、海面の上昇がもたらされるともいわれています。地球温暖化が進むことで、水不足の深刻化や食料生産に影響が出ることも懸念されます。

②地球温暖化対策の取り組み

　2015年、京都議定書に代わる対策としてパリ協定が採択され、中国、アメリカ、インドなども含め196の国・地域が参加し、２１世紀後半に温室効果ガスの排出量実質ゼロをめざしています。地球温暖化対策の国際的な取り決めであるパリ協定の長期目標達成に向けて、各国がどのように協調していくべきでしょうか。

● 資料から事実の読み取り

▼世界の二酸化炭素排出量の推移と予測（資料１）

（出典：地球環境産業技術研究機構資料より）

▼主な国と地域の１人あたりの二酸化炭素排出量（資料２）

（出典：IEA資料2017年より）

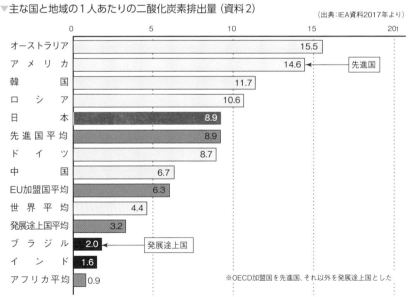

▼世界の二酸化炭素排出量（資料3）

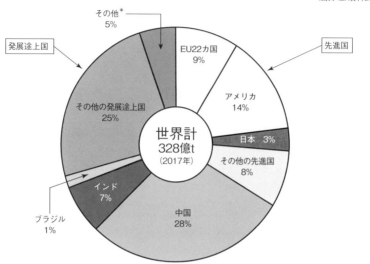

（出典：IEA資料より）

その他* 5%

EU22カ国 9%

先進国

発展途上国

その他の発展途上国 25%

アメリカ 14%

世界計 328億t （2017年）

日本 3%

その他の先進国 8%

インド 7%

ブラジル 1%

中国 28%

※OECD加盟国を先進国、それ以外を発展途上国とした
＊国際海上輸送などの際に排出されるもの

　これらの資料からどのような事実が読み取れるでしょうか。

　資料１から、今後、二酸化炭素排出量の急激な増加が見込まれ、特に経済発展が見込まれる発展途上国の排出量の増加が、全体の増加につながることがわかります。資料３の世界の二酸化炭素排出量も、中国やインドを中心とした発展途上国の排出割合が約３分の２と大きいことがわかります。では、発展途上国の排出量を抑えればいいのでしょうか。しかし、資料２からは、１人あたりの二酸化炭素排出量を見れば、先進国平均は、発展途上国平均よりも約３倍もあることがわかります。また、日本の排出量は、先進国平均と同じ程度で、EU加盟国や中国よりも１人あたりの排出量は高い状況です。

● 見方・考え方

・「功利主義と義務論」から

　功利主義（行為の結果である社会全体の幸福を重視する考え方）によれば、経済発展によって、多くの人々の生活が豊かになるという幸福の増加分と、地球温暖化がもたらす異常気象や海面の上昇、食料不足・水不足といった幸福の減少分を比較し、社会全体の幸福が最大限になるような選択・判断を行います。

　義務論（行為の動機となる公正などの義務を重視する考え方）によれば、経

済発展によって、多くの人々の生活が豊かになる、社会全体の幸福が増加しても、地球温暖化の影響によって、異常気象による被害を受け、不幸になる人がいることは公正ではないとして、地球温暖化防止に取り組み、持続可能な社会をつくるのは、私たちの義務であると考え、選択・判断を行います。

・「公正の視点」から

各国が、どのように削減負担を負うのが公正なのかが問題となります。また将来の世代にどのような負担をかけることになるのか、負担をかけることが公正なのかといった「将来の世代との間の公正」の視点も必要です。

・「多角的な視点」から

先進国の立場から、発展途上国の立場からそれぞれの言い分があるでしょう。また、国家、自分が住んでいる地方自治体、自分自身の生活のそれぞれの視点から地球温暖化に対して、考えてみます。

● 考察
・先進国と発展途上国の立場

パリ協定は、全ての参加国が自主的な削減目標を設定しています。しかし、発展途上国には、これまで大量の二酸化炭素を排出してきた先進国が負うべき責任は大きいという考えが強く、一層の削減努力や資金支援を求める声が多いところです。他方先進国は、排出量の多い新興国も、相応の削減をするべきだと主張しています。

● 協調するために

地球全体で考えると、各国が「協調」して目標達成に向けた具体的な道筋を立てていくことが不可欠です。国内では、経済の維持発展の要請もある中で、どのように各国は協調していけばいいのでしょうか。「共有地の悲劇」や「囚人のジレンマ」もふまえて考えてみましょう。

● 公正の視点から

　地球温暖化対策は、次世代にツケを回さないための私たちの義務といえそうです（世代間の公正）。また、先進国と発展途上国との関係で見れば、これまで二酸化炭素を大量に出して経済を発展させてきた先進国が、これから経済発展の必要がある発展途上国に、同じ削減負担を負わせるのは、不公正という考え方もできるでしょう。

　これらの視点をふまえた考察を行い、自分の主張（意見）をまとめます。意見には、その根拠となった事実と理由付けをします。

事実 ━━━━━━━━━━━━▶ 主張
●地球温暖化の問題
　日本の炭素削減の現状
　世界平均より多い　　　　　　　　二酸化炭素削減にもっと取り組むべき

理由付け　　主張を支える根拠

公正の視点→地球温暖化対策は私たちの責務、将来世代に負担をかけない

▼二酸化炭素の排出量が多い火力発電所

日本は将来、火力発電所を
どうするのだろうか？

資料編

日本国憲法

昭和21年（1946年）11月3日公布
昭和22年（1947年）5月3日施行

前文 ▶参照…70頁

　日本国民は、正当に選挙された国会における代表者を通じて行動し、われらとわれらの子孫のために、諸国民との協和による成果と、わが国全土にわたつて自由のもたらす恵沢を確保し、政府の行為によつて再び戦争の惨禍が起ることのないやうにすることを決意し、ここに主権が国民に存することを宣言し、この憲法を確定する。そもそも国政は、国民の厳粛な信託によるものであつて、その権威は国民に由来し、その権力は国民の代表者がこれを行使し、その福利は国民がこれを享受する。これは人類普遍の原理であり、この憲法は、かかる原理に基くものである。われらは、これに反する一切の憲法、法令及び詔勅を排除する。

　日本国民は、恒久の平和を念願し、人間相互の関係を支配する崇高な理想を深く自覚するのであつて、平和を愛する諸国民の公正と信義に信頼して、われらの安全と生存を保持しようと決意した。われらは、平和を維持し、専制と隷従、圧迫と偏狭を地上から永遠に除去しようと努めてゐる国際社会において、名誉ある地位を占めたいと思ふ。われらは、全世界の国民が、ひとしく恐怖と欠乏から免かれ、平和のうちに生存する権利を有することを確認する。

　われらは、いづれの国家も、自国のことのみに専念して他国を無視してはならないのであつて、政治道徳の法則は、普遍的なものであり、この法則に従ふことは、自国の主権を維持し、他国と対等関係に立たうとする各国の責務であると信ずる。

　日本国民は、国家の名誉にかけ、全力をあげてこの崇高な理想と目的を達成することを誓ふ。

第一章　天皇

第一条〔天皇の地位と主権在民〕 ▶参照…70頁

　天皇は、日本国の象徴であり日本国民統合の象徴であつて、この地位は、主権の存する日本国民の総意に

第二条〔皇位の世襲〕

　皇位は、世襲のものであつて、国会の議決した皇室典範の定めるところにより、これを継承する。

第三条〔内閣の助言と承認及び責任〕

　天皇の国事に関するすべての行為には、内閣の助言と承認を必要とし、内閣が、その責任を負ふ。

第四条〔天皇の権能と権能行使の委任〕

1　天皇は、この憲法の定める国事に関する行為のみを行ひ、国政に関する権能を有しない。

2　天皇は、法律の定めるところにより、その国事に関する行為を委任することができる。

第五条〔摂政〕

　皇室典範の定めるところにより摂政を置くときは、摂政は、天皇の名でその国事に関する行為を行ふ。この場合には、前条第一項の規定を準用する。

第六条〔天皇の任命行為〕

1　天皇は、国会の指名に基いて、内閣総理大臣を任命する。

2　天皇は、内閣の指名に基いて、最高裁判所の長たる裁判官を任命する。

第七条〔天皇の国事行為〕

　天皇は、内閣の助言と承認により、国民のために、左の国事に関する行為を行ふ。

一　憲法改正、法律、政令及び条約を公布すること。

二　国会を召集すること。

三　衆議院を解散すること。

四　国会議員の総選挙の施行を公示すること。

五　国務大臣及び法律の定めるその他の官吏の任免並びに全権委任状及び大使及び公使の信任　状を認証すること。

六　大赦、特赦、減刑、刑の執行の免除及び復権を認証すること。

七　栄典を授与すること。

八　批准書及び法律の定めるその他の外交文書を認証すること。

九　外国の大使及び公使を接受すること。

十　儀式を行ふこと。

第八条〔財産授受の制限〕

　皇室に財産を譲り渡し、又は皇室が、財産を譲り受け、若しくは賜与することは、国会の議決に基かなければならない。

第二章　戦争の放棄

第九条〔戦争の放棄と戦力及び交戦権の否認〕

1　日本国民は、正義と秩序を基調とする国際平和を誠実に希求し、国権の発動たる戦争と、武力による威嚇又は武力の行使は、国際紛争を解決する手段としては、永久にこれを放棄する。

2　前項の目的を達するため、陸海空軍その他の戦力は、これを保持しない。国の交戦権は、これを認めない。

第三章　国民の権利及び義務

第十条〔国民たる要件〕

　日本国民たる要件は、法律でこれを定める。

第十一条〔基本的人権〕

　国民は、すべての基本的人権の享有を妨げられない。この憲法が国民に保障する基本的人権は、侵すことのできない永久の権利として、現在及び将来の国民に与へられる。

第十二条〔自由及び権利の保持義務と公共福祉性〕

　この憲法が国民に保障する自由及び権利は、国民の不断の努力によつて、これを保持しなければならない。又、国民は、これを濫用してはならないのであつて、常に公共の福祉のためにこれを利用する責任を負ふ。

第十三条〔個人の尊重と公共の福祉〕▶参照…31頁

　すべて国民は、個人として尊重される。生命、自由及び幸福追求に対する国民の権利については、公共の福祉に反しない限り、立法その他の国政の上で、最大の尊重を必要とする。

第十四条〔平等原則、貴族制度の否認及び栄典の限界〕▶参照…71頁

1　すべて国民は、法の下に平等であつて、人種、信条、性別、社会的身分又は門地によ

り、政治的、経済的又は社会的関係において、差別されない。

2　華族その他の貴族の制度は、これを認めない。

3　栄誉、勲章その他の栄典の授与は、いかなる特権も伴はない。栄典の授与は、現にこれを有し、又は将来これを受ける者の一代に限り、その効力を有する。

第十五条〔公務員の選定罷免権、公務員の本質、普通選挙の保障及び投票秘密の保障〕

1　公務員を選定し、及びこれを罷免することは、国民固有の権利である。

2　すべて公務員は、全体の奉仕者であつて、一部の奉仕者ではない。

3　公務員の選挙については、成年者による普通選挙を保障する。

4　すべて選挙における投票の秘密は、これを侵してはならない。選挙人は、その選択に関し公的にも私的にも責任を問はれない。

第十六条〔請願権〕

何人も、損害の救済、公務員の罷免、法律、命令又は規則の制定、廃止又は改正その他の事項に関し、平穏に請願する権利を有し、何人も、かかる請願をしたためにいかなる差別待遇も受けない。

第十七条〔公務員の不法行為による損害の賠償〕

何人も、公務員の不法行為により、損害を受けたときは、法律の定めるところにより、国又は公共団体に、その賠償を求めることができる。

第十八条〔奴隷的拘束及び苦役の禁止〕

何人も、いかなる奴隷的拘束も受けない。又、犯罪に因る処罰の場合を除いては、その意に反する苦役に服させられない。

第十九条〔思想及び良心の自由〕▶参照…72頁

思想及び良心の自由は、これを侵してはならない。

第二十条〔信教の自由〕▶参照…72頁

1　信教の自由は、何人に対してもこれを保障する。いかなる宗教団体も、国から特権を受け、又は政治上の権力を行使してはならない。

2　何人も、宗教上の行為、祝典、儀式又は行事に参加することを強制されない。

3　国及びその機関は、宗教教育その他いかなる宗教的活動もしてはならない。

第二十一条〔集会、結社及び表現の自由と通信秘密の保護〕▶参照…73頁

1　集会、結社及び言論、出版その他一切の表現の自由は、これを保障する。

2　検閲は、これをしてはならない。通信の秘密は、これを侵してはならない。

第二十二条〔居住、移転、職業選択、外国移住及び国籍離脱の自由〕▶参照…74頁

1　何人も、公共の福祉に反しない限り、居住、移転及び職業選択の自由を有する。

2　何人も、外国に移住し、又は国籍を離脱する自由を侵されない。

第二十三条〔学問の自由〕▶参照…73頁

学問の自由は、これを保障する。

第二十四条〔家族関係における個人の尊厳と両性の平等〕▶参照…71頁

1　婚姻は、両性の合意のみに基いて成立し、夫婦が同等の権利を有することを基本として、相互の協力により、維持されなければならない。

2　配偶者の選択、財産権、相続、住居の選定、離婚並びに婚姻及び家族に関するその他の事項に関しては、法律は、個人の尊厳と両性の本質的平等に立脚して、制定されなければならない。

第二十五条〔生存権及び国民生活の社会的進歩向上に努める国の義務〕▶参照…74/128頁

1　すべて国民は、健康で文化的な最低限度の生活を営む権利を有する。

2　国は、すべての生活部面について、社会福祉、社会保障及び公衆衛生の向上及び増進に努めなければならない。▶参照…128頁

第二十六条〔教育を受ける権利と受けさせる義務〕▶参照…75頁

1　すべて国民は、法律の定めるところにより、その能力に応じて、ひとしく教育を受ける権利を有する。

2　すべて国民は、法律の定めるところにより、その保護する子女に普通教育を受けさせる義務を負ふ。義務教育は、これを無償とする。

第二十七条〔勤労の権利と義務、勤労条件の基準及び児童酷使の禁止〕▶参照…74/110頁

1　すべて国民は、勤労の権利を有し、義務を負ふ。

2　賃金、就業時間、休息その他の勤労条件に関する基準は、法律でこれを定める。

3　児童は、これを酷使してはならない。

第二十八条〔勤労者の団結権及び団体行動権〕▶参照…110頁

勤労者の団結する権利及び団体交渉その他の団体行動をする権利は、これを保障する。

第二十九条〔財産権〕▶参照…74頁

1　財産権は、これを侵してはならない。

2　財産権の内容は、公共の福祉に適合するやうに、法律でこれを定める。

3　私有財産は、正当な補償の下に、これを公共のために用ひることができる。

第三十条〔納税の義務〕

国民は、法律の定めるところにより、納税の義務を負ふ。

第三十一条〔生命及び自由の保障と科刑の制約〕▶参照…73頁

何人も、法律の定める手続によらなければ、その生命若しくは自由を奪はれ、又はその他の刑罰を科せられない。

第三十二条〔裁判を受ける権利〕

何人も、裁判所において裁判を受ける権利を奪はれない。

第三十三条〔逮捕の制約〕

何人も、現行犯として逮捕される場合を除いては、権限を有する司法官憲が発し、且つ理由となつてゐる犯罪を明示する令状によらなければ、逮捕されない。

第三十四条〔抑留及び拘禁の制約〕

何人も、理由を直ちに告げられ、且つ、直ちに弁護人に依頼する権利を与へられなければ、抑留又は拘禁されない。又、何人も、正当な理由がなければ、拘禁されず、要求があれば、その理由は、直ちに本人及びその弁護人の出席する公開の法廷で示されなければならない。

第三十五条〔侵入、捜索及び押収の制約〕

1　何人も、その住居、書類及び所持品について、侵入、捜索及び押収を受けることのない権利は、第三十三条の場合を除いては、正当な理由に基いて発せられ、且つ捜索する場所及び押収する物を明示する令状がなければ、侵されない。

2　捜索又は押収は、権限を有する司法官憲が発する各別の令状により、これを行ふ。

第三十六条〔拷問及び残虐な刑罰の禁止〕

公務員による拷問及び残虐な刑罰は、絶対にこれを禁ずる。

第三十七条〔刑事被告人の権利〕

1　すべて刑事事件においては、被告人は、公平な裁判所の迅速な公開裁判を受ける権利を有する。

2　刑事被告人は、すべての証人に対して審問する機会を充分に与へられ、又、公費で自己のために強制的手続により証人を求める権利を有する。

3　刑事被告人は、いかなる場合にも、資格を有する弁護人を依頼することができる。被告人が自らこれを依頼することができないときは、国でこれを附する。

第三十八条〔自白強要の禁止と自白の証拠能力の限界〕

1　何人も、自己に不利益な供述を強要されない。

2　強制、拷問若しくは脅迫による自白又は不当に長く抑留若しくは拘禁された後の自白は、これを証拠とすることができない。

3　何人も、自己に不利益な唯一の証拠が本人の自白である場合には、有罪とされ、又は刑罰を科せられない。

第三十九条〔遡及処罰、二重処罰等の禁止〕

何人も、実行の時に適法であつた行為又は既に無罪とされた行為については、刑事上の責任を問はれない。又、同一の犯罪について、重ねて刑事上の責任を問はれない。

第四十条〔刑事補償〕

　何人も、抑留又は拘禁された後、無罪の裁判を受けたときは、法律の定めるところにより、国にその補償を求めることができる。

第四章　国会

第四十一条〔国会の地位〕▶参照…84頁

　国会は、国権の最高機関であつて、国の唯一の立法機関である。

第四十二条〔二院制〕

　国会は、衆議院及び参議院の両議院でこれを構成する。

第四十三条〔両議院の組織〕

1　両議院は、全国民を代表する選挙された議員でこれを組織する。

2　両議院の議員の定数は、法律でこれを定める。

第四十四条〔議員及び選挙人の資格〕

　両議院の議員及びその選挙人の資格は、法律でこれを定める。但し、人種、信条、性別、社会的身分、門地、教育、財産又は収入によつて差別してはならない。

第四十五条〔衆議院議員の任期〕

　衆議院議員の任期は、四年とする。但し、衆議院解散の場合には、その期間満了前に終了する。

第四十六条〔参議院議員の任期〕

　参議院議員の任期は、六年とし、三年ごとに議員の半数を改選する。

第四十七条〔議員の選挙〕

　選挙区、投票の方法その他両議院の議員の選挙に関する事項は、法律でこれを定める。

第四十八条〔両議院議員相互兼職の禁止〕

　何人も、同時に両議院の議員たることはできない。

第四十九条〔議員の歳費〕

　両議院の議員は、法律の定めるところにより、国庫から相当額の歳費を受ける。

第五十条〔議員の不逮捕特権〕

　両議院の議員は、法律の定める場合を除いては、国会の会期中逮捕されず、会期前に逮捕された議員は、その議院の要求があれば、会期中これを釈放しなければならない。

第五十一条〔議員の発言表決の無答責〕

　両議院の議員は、議院で行つた演説、討論又は表決について、院外で責任を問はれな

い。

第五十二条〔常会〕

国会の常会は、毎年一回これを召集する。

第五十三条〔臨時会〕

内閣は、国会の臨時会の召集を決定することができる。いづれかの議院の総議員の四分の一以上の要求があれば、内閣は、その召集を決定しなければならない。

第五十四条〔総選挙、特別会及び緊急集会〕

1　衆議院が解散されたときは、解散の日から四十日以内に、衆議院議員の総選挙を行ひ、その選挙の日から三十日以内に、国会を召集しなければならない。

2　衆議院が解散されたときは、参議院は、同時に閉会となる。但し、内閣は、国に緊急の必要があるときは、参議院の緊急集会を求めることができる。

3　前項但書の緊急集会において採られた措置は、臨時のものであつて、次の国会開会の後十日以内に、衆議院の同意がない場合には、その効力を失ふ。

第五十五条〔資格争訟〕

両議院は、各々その議員の資格に関する争訟を裁判する。但し、議員の議席を失はせるには、出席議員の三分の二以上の多数による議決を必要とする。

第五十六条〔議事の定足数と過半数議決〕

1　両議院は、各々その総議員の三分の一以上の出席がなければ、議事を開き議決することができない。

2　両議院の議事は、この憲法に特別の定のある場合を除いては、出席議員の過半数でこれを決し、可否同数のときは、議長の決するところによる。

第五十七条〔会議の公開と会議録〕

1　両議院の会議は、公開とする。但し、出席議員の三分の二以上の多数で議決したときは、秘密会を開くことができる。

2　両議院は、各々その会議の記録を保存し、秘密会の記録の中で特に秘密を要すると認められるもの以外は、これを公表し、且つ一般に頒布しなければならない。

3　出席議員の五分の一以上の要求があれば、各議員の表決は、これを会議録に記載しなければならない。

第五十八条〔役員の選任及び議院の自律権〕

1　両議院は、各々その議長その他の役員を選任する。

2　両議院は、各々その会議その他の手続及び内部の規律に関する規則を定め、又、院内の秩序をみだした議員を懲罰することができる。但し、議員を除名するには、出席議員の三分の二以上の多数による議決を必要とする。

第五十九条〔法律の成立〕

1　法律案は、この憲法に特別の定のある場合を除いては、両議院で可決したとき法律となる。

2　衆議院で可決し、参議院でこれと異なつた議決をした法律案は、衆議院で出席議員の三分の二以上の多数で再び可決したときは、法律となる。

3　前項の規定は、法律の定めるところにより、衆議院が、両議院の協議会を開くことを求めることを妨げない。

4　参議院が、衆議院の可決した法律案を受け取つた後、国会休会中の期間を除いて六十日以内に、議決しないときは、衆議院は、参議院がその法律案を否決したものとみなすことができる。

第六十条〔衆議院の予算先議権及び予算の議決〕

1　予算は、さきに衆議院に提出しなければならない。

2　予算について、参議院で衆議院と異なつた議決をした場合に、法律の定めるところにより、両議院の協議会を開いても意見が一致しないとき、又は参議院が、衆議院の可決した予算を受け取つた後、国会休会中の期間を除いて三十日以内に、議決しないときは、衆議院の議決を国会の議決とする。

第六十一条〔条約締結の承認〕

条約の締結に必要な国会の承認については、前条第二項の規定を準用する。

第六十二条〔議院の国政調査権〕

両議院は、各々国政に関する調査を行ひ、これに関して、証人の出頭及び証言並びに記録の提出を要求することができる。

第六十三条〔国務大臣の出席〕

内閣総理大臣その他の国務大臣は、両議院の一に議席を有すると有しないとにかかはらず、何時でも議案について発言するため議院に出席することができる。又、答弁又は説明のため出席を求められたときは、出席しなければならない。

第六十四条〔弾劾裁判所〕

1　国会は、罷免の訴追を受けた裁判官を裁判するため、両議院の議員で組織する弾劾裁判所を設ける。

2　弾劾に関する事項は、法律でこれを定める。

第五章　内閣

第六十五条〔行政権の帰属〕

行政権は、内閣に属する。

第六十六条〔内閣の組織と責任〕

1　内閣は、法律の定めるところにより、その首長たる内閣総理大臣及びその他の国務大臣でこれを組織する。

2　内閣総理大臣その他の国務大臣は、文民でなければならない。

3　内閣は、行政権の行使について、国会に対し連帯して責任を負ふ。

第六十七条〔内閣総理大臣の指名〕▶参照…84頁

1　内閣総理大臣は、国会議員の中から国会の議決で、これを指名する。この指名は、他のすべての案件に先だつて、これを行ふ。

2　衆議院と参議院とが異なつた指名の議決をした場合に、法律の定めるところにより、両議院の協議会を開いても意見が一致しないとき、又は衆議院が指名の議決をした後、国会休会中の期間を除いて十日以内に、参議院が、指名の議決をしないときは、衆議院の議決を国会の議決とする。

第六十八条〔国務大臣の任免〕

1　内閣総理大臣は、国務大臣を任命する。但し、その過半数は、国会議員の中から選ばれなければならない。

2　内閣総理大臣は、任意に国務大臣を罷免することができる。

第六十九条〔不信任決議と解散又は総辞職〕▶参照…84/86頁

内閣は、衆議院で不信任の決議案を可決し、又は信任の決議案を否決したときは、十日以内に衆議院が解散されない限り、総辞職をしなければならない。

第七十条〔内閣総理大臣の欠缺又は総選挙施行による総辞職〕

内閣総理大臣が欠けたとき、又は衆議院議員総選挙の後に初めて国会の召集があつたときは、内閣は、総辞職をしなければならない。

第七十一条〔総辞職後の職務続行〕

前二条の場合には、内閣は、あらたに内閣総理大臣が任命されるまで引き続きその職務を行ふ。

第七十二条〔内閣総理大臣の職務権限〕

内閣総理大臣は、内閣を代表して議案を国会に提出し、一般国務及び外交関係について国会に報告し、並びに行政各部を指揮監督する。

第七十三条〔内閣の職務権限〕

内閣は、他の一般行政事務の外、左の事務を行ふ。

一　法律を誠実に執行し、国務を総理すること。

二　外交関係を処理すること。

三　条約を締結すること。但し、事前に、時宜によつては事後に、国会の承認を経ることを必要とする。

四　法律の定める基準に従ひ、官吏に関する事務を掌理すること。

五　予算を作成して国会に提出すること。

六　この憲法及び法律の規定を実施するために、政令を制定すること。但し、政令には、特にその法律の委任がある場合を除いては、罰則を設けることができない。

七　大赦、特赦、減刑、刑の執行の免除及び復権を決定すること。

第七十四条〔法律及び政令への署名と連署〕

　法律及び政令には、すべて主任の国務大臣が署名し、内閣総理大臣が連署することを必要とする。

第七十五条〔国務大臣訴追の制約〕

　国務大臣は、その在任中、内閣総理大臣の同意がなければ、訴追されない。但し、これがため、訴追の権利は、害されない。

第六章　司法

第七十六条〔司法権の機関と裁判官の職務上の独立〕

1　すべて司法権は、最高裁判所及び法律の定めるところにより設置する下級裁判所に属する。

2　特別裁判所は、これを設置することができない。行政機関は、終審として裁判を行ふことができない。

3　すべて裁判官は、その良心に従ひ独立してその職権を行ひ、この憲法及び法律にのみ拘束される。

第七十七条〔最高裁判所の規則制定権〕

1　最高裁判所は、訴訟に関する手続、弁護士、裁判所の内部規律及び司法事務処理に関する事項について、規則を定める権限を有する。

2　検察官は、最高裁判所の定める規則に従はなければならない。

3　最高裁判所は、下級裁判所に関する規則を定める権限を、下級裁判所に委任することができる。

第七十八条〔裁判官の身分の保障〕

　裁判官は、裁判により、心身の故障のために職務を執ることができないと決定された場合を除いては、公の弾劾によらなければ罷免されない。裁判官の懲戒処分は、行政機関がこれを行ふことはできない。

第七十九条〔最高裁判所の構成及び裁判官任命の国民審査〕▶参照…75頁

1　最高裁判所は、その長たる裁判官及び法律の定める員数のその他の裁判官でこれを構成し、その長たる裁判官以外の裁判官は、内閣でこれを任命する。

2　最高裁判所の裁判官の任命は、その任命後初めて行はれる衆議院議員総選挙の際国民の審査に付し、その後十年を経過した後初めて行はれる衆議院議員総選挙の際更に審査に付し、その後も同様とする。

3　前項の場合において、投票者の多数が裁判官の罷免を可とするときは、その裁判官は、罷免される。

4　審査に関する事項は、法律でこれを定める。

5　最高裁判所の裁判官は、法律の定める年齢に達した時に退官する。

6　最高裁判所の裁判官は、すべて定期に相当額の報酬を受ける。この報酬は、在任中、これを減額することができない。

第八十条〔下級裁判所の裁判官〕

1　下級裁判所の裁判官は、最高裁判所の指名した者の名簿によつて、内閣でこれを任命する。その裁判官は、任期を十年とし、再任されることができる。但し、法律の定める年齢に達した時には退官する。

2　下級裁判所の裁判官は、すべて定期に相当額の報酬を受ける。この報酬は、在任中、これを減額することができない。

第八十一条〔最高裁判所の法令審査権〕▶参照…67頁

　最高裁判所は、一切の法律、命令、規則又は処分が憲法に適合するかしないかを決定する権限を有する終審裁判所である。

第八十二条〔対審及び判決の公開〕

1　裁判の対審及び判決は、公開法廷でこれを行ふ。

2　裁判所が、裁判官の全員一致で、公の秩序又は善良の風俗を害する虞があると決した場合には、対審は、公開しないでこれを行ふことができる。但し、政治犯罪、出版に関する犯罪又はこの憲法第三章で保障する国民の権利が問題となつてゐる事件の対審は、常にこれを公開しなければならない。

第七章　財政

第八十三条〔財政処理の要件〕▶参照…123頁

　国の財政を処理する権限は、国会の議決に基いて、これを行使しなければならない。

第八十四条〔課税の要件〕

あらたに租税を課し、又は現行の租税を変更するには、法律又は法律の定める条件によることを必要とする。

第八十五条〔国費支出及び債務負担の要件〕

国費を支出し、又は国が債務を負担するには、国会の議決に基くことを必要とする。

第八十六条〔予算の作成〕

内閣は、毎会計年度の予算を作成し、国会に提出して、その審議を受け議決を経なければならない。

第八十七条〔予備費〕

1　予見し難い予算の不足に充てるため、国会の議決に基いて予備費を設け、内閣の責任でこれを支出することができる。

2　すべて予備費の支出については、内閣は、事後に国会の承諾を得なければならない。

第八十八条〔皇室財産及び皇室費用〕

すべて皇室財産は、国に属する。すべて皇室の費用は、予算に計上して国会の議決を経なければならない。

第八十九条〔公の財産の用途制限〕

公金その他の公の財産は、宗教上の組織若しくは団体の使用、便益若しくは維持のため、又は公の支配に属しない慈善、教育若しくは博愛の事業に対し、これを支出し、又はその利用に供してはならない。

第九十条〔会計検査〕

1　国の収入支出の決算は、すべて毎年会計検査院がこれを検査し、内閣は、次の年度に、その検査報告とともに、これを国会に提出しなければならない。

2　会計検査院の組織及び権限は、法律でこれを定める。

第九十一条〔財政状況の報告〕

内閣は、国会及び国民に対し、定期に、少くとも毎年一回、国の財政状況について報告しなければならない。

第八章　地方自治

第九十二条〔地方自治の本旨の確保〕▶参照…82頁

地方公共団体の組織及び運営に関する事項は、地方自治の本旨に基いて、法律でこれを定める。

第九十三条〔地方公共団体の機関〕

1　地方公共団体には、法律の定めるところにより、その議事機関として議会を設置する。

2　地方公共団体の長、その議会の議員及び法律の定めるその他の吏員は、その地方公共団体の住民が、直接これを選挙する。

第九十四条〔地方公共団体の権能〕

　地方公共団体は、その財産を管理し、事務を処理し、及び行政を執行する権能を有し、法律の範囲内で条例を制定することができる。

第九十五条〔一の地方公共団体のみに適用される特別法〕 ▶参照…75頁

　一の地方公共団体のみに適用される特別法は、法律の定めるところにより、その地方公共団体の住民の投票においてその過半数の同意を得なければ、国会は、これを制定することができない

第九章　改正

第九十六条〔憲法改正の発議、国民投票及び公布〕 ▶参照…67/75頁

1　この憲法の改正は、各議院の総議員の三分の二以上の賛成で、国会が、これを発議し、国民に提案してその承認を経なければならない。この承認には、特別の国民投票又は国会の定める選挙の際行はれる投票において、その過半数の賛成を必要とする。

2　憲法改正について前項の承認を経たときは、天皇は、国民の名で、この憲法と一体を成すものとして、直ちにこれを公布する。

第十章　最高法規

第九十七条〔基本的人権の由来特質〕 ▶参照…67頁

　この憲法が日本国民に保障する基本的人権は、人類の多年にわたる自由獲得の努力の成果であつて、これらの権利は、過去幾多の試錬に堪へ、現在及び将来の国民に対し、侵すことのできない永久の権利として信託されたものである。第九十八条〔憲法の最高性と条約及び国際法規の遵守〕1この憲法は、国の最高法規であつて、その条規に反する法律、命令、詔勅及び国務に関するその他の行為の全部又は一部は、その効力を有しない。2日本国が締結した条約及び確立された国際法規は、これを誠実に遵守することを必要とする。

第九十八条〔憲法の最高性と条約及び国際法規の遵守〕 ▶参照…66頁

1　憲法は、国の最高法規であつて、その条規に反する法律、命令、詔勅及び国務に関するそ の他の行為の全部又は一部は、その効力を有しない。

2　日本国が締結した条約及び確立した国際法規は、これを誠実に遵守することを必要とする。

第九十九条〔憲法尊重擁護の義務〕▶参照…67頁

　天皇又は摂政及び国務大臣、国会議員、裁判官その他の公務員は、この憲法を尊重し擁護する義 務を負ふ。

第十一章　補則

第百条〔施行期日と施行前の準備行為〕

1　この憲法は、公布の日から起算して六箇月を経過した日から、これを施行する。

2　この憲法を施行するために必要な法律の制定、参議院議員の選挙及び国会召集の手続並びにこの憲法を施行するために必要な準備手続は、前項の期日よりも前に、これを行ふことができる。

第百一条〔参議院成立前の国会〕

　この憲法施行の際、参議院がまだ成立してゐないときは、その成立するまでの間、衆議院は、国会としての権限を行ふ。

第百二条〔参議院議員の任期の経過的特例〕

　この憲法による第一期の参議院議員のうち、その半数の者の任期は、これを三年とする。その議員は、法律の定めるところにより、これを定める。

第百三条〔公務員の地位に関する経過規定〕

　この憲法施行の際現に在職する国務大臣、衆議院議員及び裁判官並びにその他の公務員で、その地位に相応する地位がこの憲法で認められてゐる者は、法律で特別の定をした場合を除いては、この憲法施行のため、当然にはその地位を失ふことはない。但し、この憲法によつて、後任者が選挙又は任命されたときは、当然その地位を失ふ。

おわりに

　本書を最後まで読んでいただき、ありがとうございました。昔、「現代社会」で学んだ大人のみなさんにとっては、新科目「公共」は随分と変わったなあと思われたことでしょう。自立した主体として社会の問題を自分の問題として捉え、社会に参加していく資質能力を育むために、教育方法も知識重視から資質能力重視へ、「何をしっているか」から「何ができるか」へ、単に授業を聞くという受け身的な学びから「主体的・対話的で深い学び」へと大きく変化しています。

　子どもたちは、現代社会のしくみを学ぶだけではなく、直面している問題と自分がどう向き合うのか、解決方法についてまで問われます。そこに、1つの正解はありません。自ら情報を集め、問題点を抽出し、習得した「社会的な見方や考え方」を活用して、資料等から読み取った事実を基に、自分の頭で考えて、クラスメイトと対話をし、自分の意見をまとめる。そして、先生やクラスメイトに向けて自分の意見を説得的に説明する。生徒も先生も、本当に大変です。しかし、この学びができれば、社会に出て役に立ちそうです。そして、学ぶことが楽しく、成長も感じられることでしょう。

　「主体的・対話的で深い学び」を実現するためには、教員と生徒、生徒同士の対話を基礎としていますから、教員がどのような授業を行うかによる面も大きいのですが、「公共」の教科書自体にも、見方・考え方の視点の活用、思考実験、身近な葛藤問題、「調べてみよう、考えてみよう、話し合ってみよう」といった「主体的・対話的で深い学び」を促すためのしかけが随所に設けられていて面白いです。本書で、新科目「公共」に興味をもっていただけたなら、ぜひ「公共」の教科書も手に取って読んでいただけたらと思います。

　私は、弁護士として法教育の活動に長年携わってきました。法教育とは、「子どもたちに、個人を尊重する自由で公正な民主主義社会の担い手として、法や司法制度の基礎にある考え方を理解してもらい、法的なものの見方や考え方を身につけてもらうための教育」です。条文などの知識を暗記するのではなく、個人の尊重や自由、正義、公正といった法的な価値を理解し、自分の頭で考え、他者と対話し、共生できる個人を育もうとするものです。新科目「公共」と法教育とは、重なる部分も多く、特にその目的である「個人の尊重を大切にし、

社会において生きる力を育む」という点では、共通しています。したがって、法教育の実践は、新科目「公共」がめざす教育の実践でもあります。新科目「公共」の教科書にも、刑事模擬裁判や民事模擬調停、ルール作り、賛成派反対派に分かれた討論といった法教育でやってきたものが「主体的対話的で深い学び」の実践方法として紹介されていました。

　また新科目「公共」は、社会に開かれた科目として、弁護士などの専門家との外部連携も推奨されています。あなたが学校教員でしたら、全国各地の弁護士会では、熱心に法教育に携わっている弁護士がおりますので、ゲストティーチャーや出張授業などの要請で、ぜひお声がけいただければと思います。もしあなたが高校生でしたら、地元の弁護士会で開かれているジュニアロースクールや日弁連の模擬裁判選手権に参加してみてください。きっと充実した体験と学びができると思います。

　今、「公共」を学んでいる高校生のみなさんは、本書を、副読本の目的で、手に取ってくれたのかも知れません。本書は、網羅的なものとはなっておりませんが、新科目「公共」の概要と要点をつかむのには、良いのではないかと思います。弁護士として、憲法を中心とした法の分野については、教科書には載っていないことも含めて、掘り下げて書きました。また「考えてみよう」と問いかけているところは、新科目「公共」の主眼となるところですから、ぜひ考えてみて、幸福や公正、効率や公平などの見方・考え方を意識しながら、自分なりの回答を紙に書き出してみてください。できれば、新科目「公共」をつくった大人たちが、みなさんに何を身につけてほしいのかの「熱い思い」も感じながら、学んでいただければと思います。

　大人のみなさんにとって、現代社会の諸課題を考えるにあたって、「功利主義や義務論」「効率と公正」といった見方・考え方を活用するということは、新鮮だったと思います。1つの切り口として、活用できるツールだと思いますので、仕事上の選択や判断の際に「これは功利主義的にはどうだろう、義務論的にはどうなるかな」等と考えてみてはいかがでしょうか。

　本書が、新科目「公共」がめざす「社会の中で生きる力」を身につけることに、少しでもお役に立てたなら、著者として嬉しい限りです。

　最後になりましたが、本書を刊行するにあたって、多くのみなさまから支えていただきました。誠にありがとうございました。

神坪浩喜

もっと深く学びたい人へ
（主要参考文献）

●文科省検定済教科書

東京書籍　公共　７０１

教育図書　公共　７０２

実教出版　公共　７０４

帝国書院　公共　７０７

数研出版　公共　７０８

第一学習社　公共　７１０

東京法令出版　公共　７１２

東京書籍　新しい社会　公民　９０１（中学教科書）

●資料集

実教出版　２０２２ズームアップ公共資料

帝国書院　ライブ！２０２３　公共、現代社会を考える

●学習指導要領解説

高等学校学習指導要領（平成３０年告示）解説　公民編　文部科学省

中学校学習指導要領解説（平成２９年告示）解説　社会編　文部科学省

●その他

教科書ガイド　公共　東京書籍版　文研出版

よくわかる高校公共　塚本哲生著　学研プラス

高校社会「公共」の授業を創る　橋本康弘編著　明治図書

中学校のための法教育11教材　日本弁護士連合会市民のための法教育委員会編著　東洋館出版社

高校生向け法教育教材「未来を切り拓く法教育」法教育推進協議会（法務省）

鳥瞰民法（全）河上正二著　信山社

憲法学教室（第３版）浦部法穂著　日本評論社

武器になる憲法講座　伊藤真著　ソシム

あぶない法哲学　住吉雅美著　講談社現代新書

●著者紹介

神坪浩喜（かみつぼ・ひろき）

弁護士。あやめ法律事務所所長。1968年、北九州市生まれ。東北大学法学部卒。個人の尊重や法的なものの見方・考え方を身につけておくことが、他者と共生しながら、自分らしく生きていくために必要と考え、長年、法教育の活動を行う。著書に「18歳までに知っておきたい法のはなし」「18歳までに知っておきたい契約のはなし」（みらいパブリッシング）、「中小企業のためのパワハラ防止対策Q＆A」（労働調査会）などがある。

●イラスト

近藤妙子（nacell）

新しい高校教科書に学ぶ大人の教養
公共

| 発行日 | 2023年 3月15日 | 第1版第1刷 |

著 者　神坪　浩喜

発行者　斉藤　和邦
発行所　株式会社　秀和システム
　　　　〒135-0016
　　　　東京都江東区東陽2-4-2　新宮ビル2F
　　　　Tel 03-6264-3105（販売）Fax 03-6264-3094
印刷所　三松堂印刷株式会社　　　　Printed in Japan

ISBN978-4-7980-6630-1 C0033